這樣做，寶寶超好帶

《百歲醫師教我的育兒寶典》實踐篇

許惠珺◎著

【作者聲明】

丹瑪醫師說，做媽媽的最了解孩子的需要，媽媽需要憑著自己的良心和判斷力，盡最大的能力決定怎麼照顧孩子，爲孩子最大的益處著想。

很多媽媽想採用丹瑪醫師的育兒法卻不得其門而入，或在實際應用時遇到許多問題。本書是在分享作者六年來，用這套育兒法照顧四個孩子的實作經驗，希望能爲想採用這套育兒法的媽媽解答一些疑問。書中的經驗談並非醫療保健的專業建議，若有疑慮請務必詢問您的醫生。

謹將本書獻給

所有使用丹瑪醫師育兒法的媽媽

【推薦序】

願你我都能從別人的經驗獲益

何恩

回顧六年多前，很難想像我們曾經沒有孩子，那段只有兩人的時光，家裡空蕩蕩的，晚上還得想點事情來做，生活根本不必事先擬定太多計畫。

如今想起，恍如隔世，時間模糊了我的記憶。我隱約記得，我們夫妻倆常在晚上出去散步，自由自在，無拘無束。

老實說，我一點都不想念那段日子。兩人時光雖然甜蜜，但重心都放在自己身上，生命好像缺少了什麼——缺少付出吧。

我們在六年內，從沒有孩子變成有四個孩子，有時確實不太容易應付，但你拿什麼來換我都不要。這些年來，我太太一直在家中扮演超人，照顧我們一大家子，一手包辦家中每個成員大大小小的需要。

其實剛開始的時候，她並不懂得怎麼照顧嬰兒，但這些年來她學到很多，這要大大歸功於百歲丹瑪醫師的育兒法，還有林奐均夫婦的分享。

過去幾年來，我太太有許多機會跟別的母親分享這套育兒法，在願意採納這套育兒法的父母身上，看到極大的效果，正因爲這樣，我很鼓勵她寫這本書。許多新手媽媽對照顧嬰兒毫無經驗，就跟短短幾年前我太太的處境一樣，她們可以從我太太的經驗獲益，就像我太太也是從別人的經驗獲益。

我太太完成書稿後，請我幫她看一遍，我心想，我是她的丈夫，書中所講的內容，我應該早已非常熟悉。我們夫妻倆住在同一個屋簷下，我天天享受她勞碌的果實，當然很清楚她每天都在忙些什麼。

結果不然，我把這本書從頭到尾讀完後，眞的很驚訝。

我一章章地讀下去，發現我一直把太太的付出視爲理所當然。她勤勞又用心地照顧我們一家，尤其是照顧孩子，我卻把這些視爲理所當然。她努力經營這個家，讓這個家成爲一個世外桃源，成爲一個避風港，我卻把這些視爲理所當然。

重新用不同的角度來看這些事，令我非常感動，我非常享受讀她這本書。

很多媽媽眞的想用百歲丹瑪醫師的育兒法來照顧寶寶，但有時難免會遇到問題。我想這本書也許會成為新手媽媽床頭櫃上，翻閱最頻繁的一本書，從趴睡、拍嗝、建立固定的作息、睡過夜、寶寶哭，一直到製作食物泥，育兒內容包羅萬象，應有盡有，大大小小的建議都可以實際應用在孩子身上。

本書詳述我們的家庭生活，可以看出每天固定的作息，帶給我們的孩子安全感和穩定感，也可以看出適時滿足孩子的需要，能幫助我們更了解孩子的個性，所以當孩子有異狀時，可以很容易找出原因。

我盼望媽媽們可以在本書中找到有用的資訊，也許也能獲得一些啓發。

我甚至推薦做丈夫的讀這本書，就像我自己曾仔細拜讀過一樣，這能幫助你更了解太太每天照顧你們一家的辛勞，也能幫助你更了解自己的太太，這是爲人夫者應該努力追求的目標。

不是每一對想要孩子的夫妻都能夠生育，很多夫妻因爲不孕而痛苦難過，但不必因此感到絕望。讀者在本書的附錄中，會發現收養也是養兒育女的一個途徑。附錄中分享了我們的收養觀，幫助大家從不同的角度來看收養，也許你會發現，收養跟你想像中有很大的差距呢。

CONTENTS

CONTENTS

CONTENTS

CONTENTS

CONTENTS

第九章 其他育兒經驗分享

【前言】
讓更多家庭享受育兒喜樂

我是個在家工作的譯者，我先生是全職學生，目前在攻讀博士學位。我們先後收養了四個孩子，都是從嬰兒時期就帶回家，現在分別是六歲、四歲、兩歲和一歲。我從婚前到婚後十三年間，有幸譯了幾本重要的兒童教養書籍，像是美國知名兒童心理學家和婚姻輔導專家杜布森博士（James Dobson）的《勇於管教》（*Dare to Discipline*）《轉個彎一樣有路走——讓孩子自信過一生》（*Hide or Seek*），以及最近幾年譯的《百歲醫師教我的育兒寶典》（如何出版社）和《從零歲開始》（*On Becoming Babywise*）。感謝上帝給我機會譯這些書，在育兒方面對我個人有很大的幫助。

在我們還沒有孩子的時候，林奐均就和我們分享了百歲醫師的育兒法，當時我們覺得這套方法實在很棒，所以孩子陸續來臨之後，我們當然就迫不及待地開始應用。二〇〇六年，林奐均將這套方法付諸文字，找我譯了《百歲醫師教我的育兒寶典》，加上我自己也順利地運用這套育兒法，照顧四個來自不同原生家庭的孩子，從此便常有機會與人分享。很多人對這套育兒法有興趣，也有很多人在應用時遇到困難，我在網路上看到許多媽媽著急地求助，她們的需要讓我興起寫這本書的念頭，想要詳細記錄自己按照丹瑪醫師的育兒法，一路走來的實作經驗，希望藉此幫助爲人父母者享受育兒樂。

我們夫妻深信孩子是上帝的祝福，所以樂意撫養四個孩子。我們也從親身經驗中深深體會到，後天運用恰當的育兒法，可以克服孩子先天在遺傳、背景和個性等方面的劣勢，帶領孩子朝正面發展，使父母和孩子的喜樂加倍。有許許多多的家庭因爲丹瑪醫師這套育兒法獲益良多，我衷心盼望本書能成爲許多家庭的祝福。

第一章

六口之家

我們家四個孩子來自四個不同的原生家庭，基因和氣質南轅北轍，但在丹瑪醫師這套育兒法的養育之下，個個有如春花綻放，而且人見人愛，做父母的我們看在眼裡，深深覺得後天的養育方式實在太重要了。

汽車在黑夜中急駛，街燈和車燈交替照在我身旁這張熟睡的小臉蛋上。我注視這個才十一天大的女嬰，心中默默感謝上帝，還好孩子不像我會暈車，然後我忍不住想，她將來長大會是什麼樣子？對了，我們該給她取什麼名字？

把時間倒轉幾個小時，那天下午我和先生正在睡午覺，突然來了一通電話把我們吵醒，是孤兒院院長打來的，說有個小女嬰可以讓我們收養，我們若是願意，可以立刻去接她回家。我先生對院長說：「給我們半小時想一想，禱告一下。」掛上電話後，兩人你看我，我看你，不敢相信我們長久等待的這一刻終於來臨了。

婚後幾年來一直渴望生兒育女，但每個月都得經歷一次情緒起伏，在期待與失望中輪流打轉，甚至嘗試數次人工受孕，結果只是徒然勞民傷財。後來我們終於決定，收養也是養兒育女的一個途徑，就此展開我們的「家庭計畫」。

收養第一個孩子

二〇〇二年時，我們向孤兒院登記收養，因爲院中的新生兒大多送往國外收養，所以等待的時間漫長而且不確定，我們三不五時會打電話去詢問，院長總是和藹地說：「今天沒有，不表示明天不會有。」十個月後的一個星期天下午，好消息終於來臨，我們只考慮半個小時就決定要收養這個寶寶，然後緊急連絡一個朋友開車載我們去接寶寶回家。經過往來奔波和舟車勞頓，等到我們把女兒接回家時，已經是凌晨一點，除了院長夫人臨時送的幾樣應急嬰兒用品，和之前一個韓國朋友送的旋吊玩具之外，當時家裡沒有任何嬰兒的東西，我們只能先克難地在地上鋪個小床給寶寶睡！

這時我們已經知道丹瑪醫師的育兒法，所以當天晚上就開始訓練寶寶一覺到天亮，結果一試便成功，從第二天晚上開始，十二天大的女兒就可以一覺到天亮了。初嘗丹瑪醫師育兒法之妙，眞令我們興奮無比，我們將丹瑪醫師的智慧奉爲圭臬，從此展開這套育兒法的實作之旅。

收養第二個孩子

過了兩年，我們覺得該有第二個孩子了，就向另外一家收養機構申請收養，這次仍是收養女生，帶回家時才剛滿月不久。妹妹漸漸長大，我們看見她們姊妹倆玩在一起的景象，心裡常湧出一股暖意，有兄弟姊妹作伴的孩子是何等幸福。有一次大女兒對我說：「媽媽，你猜我最要好的朋友是誰？」我心想，會不會是她在教會裡同齡的玩伴，結果她說是妹妹，當下我心裡很感動，因爲手足之間能夠這樣相愛，實在難能可貴。

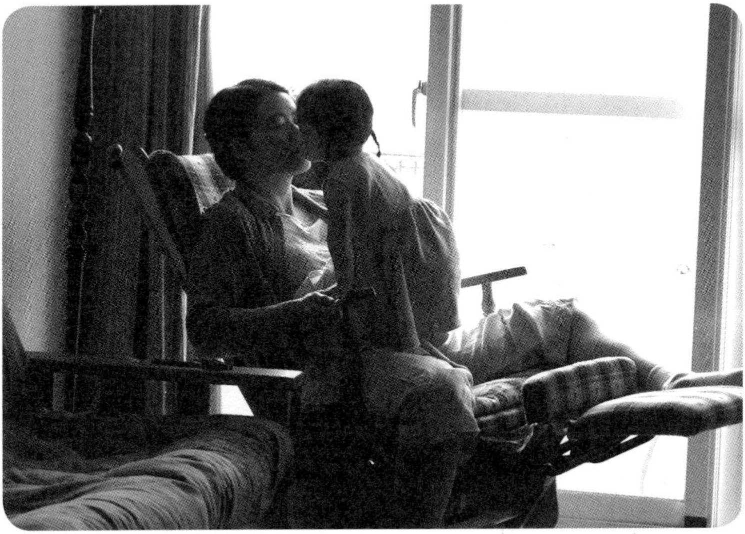

妹妹的個性和姊姊截然不同，非常倔強固執，不輕易讓步，她身強體健，哭聲驚天動地，我們剛開始吃了不少苦頭。但在一步步應用丹瑪醫師的育兒法之後，漸漸上了軌道，我們用了六天訓練妹妹一覺到天亮。

收養第三個孩子

再過兩年，我們猶豫著要不要再接再厲收養第三個孩子，畢竟上帝說孩子多是福氣，而且兄弟姊妹多，不但玩伴多，也可學習團體生活，畢竟三人才算成群嘛。幾經考慮之後鼓起勇氣，收養了一個弟弟，帶回家時五個月大。弟弟個性溫和，乖巧可愛，不大哭鬧，他跟大姊一樣，只訓練一天就能一覺到天亮。兩個小姊姊好愛弟弟，令我們心裡忍不住想，若有機會，也許可以再來一個弟弟，湊成兩男兩女，豈不是好上加好。

收養第四個孩子

沒想到老三帶回家才九個月，有一天，之前申請的一個收養機構突然來電通知說，有個男嬰可以給我們收養。這個機會比我們預期的提早一年來到，而且寶寶跟小哥哥的年紀才相差十一個月！我們很意外，但是機會既然來了，而且我們也不排斥有第四個孩子，何不欣然接受呢？就這樣，我們有了四個可愛的孩子。

我們家老四的體格跟二姊很像，都是身強體健，哭聲驚天動地，身體上有任何不適，比如肚子餓了、大便了、累了、睏了等等，就會嚎啕大哭，而且是尖叫式的哭聲，我們剛開始眞的被整慘了。老四剛來時，家裡的老二、老三都還在包尿布，老三也還在吃食物泥的階段，眞是把我們忙得人仰馬翻。還好我們已經對丹瑪醫師的育兒法駕輕就熟，而且五個月大的老四來我們家時，已經可以一覺到天亮，至少讓我們省了一項訓練。差不多花了兩個月的時間，我們的生活又漸漸上了軌道。

先天與後天

我們家四個孩子來自四個不同的原生家庭，彼此之間沒有血緣關係，基因和氣質南轅北轍，但在丹瑪醫師這套育兒法的養育之下，個個有如春花綻放，生命力旺盛、幸福洋溢、充滿安全感，而且人見人愛，做父母的我們看在眼裡，喜悅之情溢於言表，深深覺得後天的養育方式實在太重要了。

我很幸運，我先生大部分的時間可以在家讀書、工作、做研究，所以能夠和我一起分擔照顧孩子的責任。他之所以這樣安排工作，是因爲他覺得家庭是第一優先，他不希望等到孩子長大後，才後悔當初沒有花更多時間陪孩子。很多人覺得不可思議，我怎麼可能自己照顧那麼多孩子，其實是因爲有先生幫忙，我才有辦法帶四個孩子。我先生可以餵孩子喝奶或吃食物泥，可以幫孩子換尿布（尤其有大便的尿布大都由他負責換），可以幫孩子洗澡、穿衣，可以帶孩子去公園玩。當我需要出門買菜或採購日用品時，只要先生在家，我就不用拖著四個孩子一起出門。夫妻倆秉持相同的信仰、價値觀和育兒理念，一同撐起這個六口之家，我們家，雖然忙碌，卻是幸福的。

第二章

趴睡

當新生兒採趴睡姿勢時，因為手腳可以穩貼在床上，很有安全感，也就睡得安穩，睡得久。

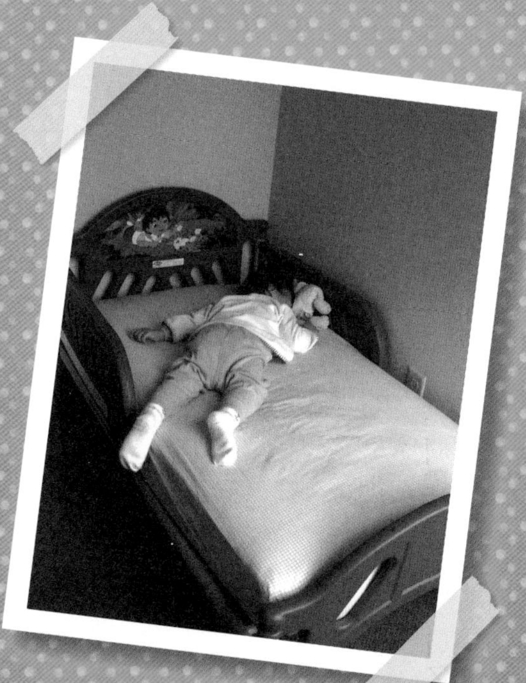

我們家的寶寶都好愛他們的床，每當他們玩累了，被爸媽放到床上時，一看見床就像看見久違的老朋友，會高興地跟床擁抱，一副快樂又滿足的模樣，彷彿在這世上只要有這張床，其他什麼都不重要了。我們好愛看孩子熟睡時，那張安詳滿足的小臉蛋，世上沒有什麼比這更寶貴了。

趴睡好不好？

關於嬰兒趴睡，現今仍存有許多爭議，這裡只是提供我的實作經驗，給想讓寶寶趴睡的父母參考。請確實閱讀趴睡的必要前提和安全措施，如果不放心，請不要勉強去做喔。

胎兒在母親腹中是向前跪伏的姿勢，**當新生兒採趴睡姿勢時，因爲手腳可以穩貼在床上，很有安全感，也就睡得安穩，睡得久**。嬰兒和成年人一樣，都需要有充足的睡眠，才會精神飽滿，心情愉快，但更重要的是，睡眠不但能讓嬰兒恢復所消耗的體力，也能促進神經系統和腦部的發育。

趴睡附帶的好處是頸部和四肢的肌肉有很多機會運動，所以頸部和四肢很快就會強壯起來，不會軟趴趴的，而且肢體的動作可以藉由俯臥的姿勢自然發展。我們家老大十一天大就開始趴睡，老二五週大開始趴睡，兩姊妹都在六個月大就會爬。老三和老四來到我們家時已經五個月大，兩兄弟都比較晚開始趴睡，七、八個月大以後才會爬，也許就是因爲較晚才開始趴睡的緣故。

趴睡最後一個附帶的好處是，孩子頭型漂亮，很多人稱讚我們四個孩子的頭型漂亮，天庭飽滿，後腦渾圓，還有一張鵝蛋臉。我們注意到很多嬰兒的後腦勺扁平，臉型也很寬，我自己也是屬於扁頭族，應該都是仰睡的緣故。當然，讓寶寶趴睡最主要的原因不是要讓頭型好看，而是要讓寶寶睡得安穩，不過我自己當然會希望孩子有漂亮的頭型，很多媽媽大概也有這種心態吧。

趴睡的姿勢與必要前提

什麼時候可以開始趴睡？**原則上健康的新生兒從醫院回家後，就可以開始**

趴睡。我們家老大十一天大開始趴睡時，就已經會自己轉頭換邊睡了。我們家每一個寶寶上床睡覺時，不管是白天或晚上都採趴睡姿勢。

趴睡時是臉側一邊睡，不是正面朝下，寶寶的頭會自動換邊睡，不會永遠側睡同一邊。

新生兒趴睡有個必要的前提——嬰兒床要鋪對，否則若是吐奶過多塞住口鼻，可能會有窒息的危險。

鋪嬰兒床的必需品：純棉大浴巾和純棉床包。

每次鋪嬰兒床都需要四條吸水性佳的純棉大浴巾，可以用稍微厚一點的浴巾，最好比床墊大，我是用美國品牌的純棉浴巾，又大又厚。好市多（Costco）有賣美國的純棉厚浴巾，價錢不貴，其他地方應該也有，可以找找看。一般台灣賣的大浴巾，通常比較薄，可能需要再多鋪幾條，新的浴巾買回來洗過曬乾或烘乾後，可以滴水試試看吸水性如何。床包也要使用純棉的質料，也可滴水試試看吸水性如何。如果買不到合適尺寸的床包，可以自己買純棉的布料來做。

自己動手做嬰兒床包

家有縫衣機的媽媽，可以自己做床包。準備一塊純棉布料，假設床墊尺寸長X公分，寬Y公分，布料的尺寸就是長（X＋60）公分，寬（Y＋60）公分。將布料的四個角落各剪掉30公分見方，然後將缺角的兩側抓起來縫合，就會呈現立體的剪裁，包住床墊時十分服貼。再來就是穿鬆緊帶，將整個床包邊緣全部穿上鬆緊帶，可以稍微穿緊一點。

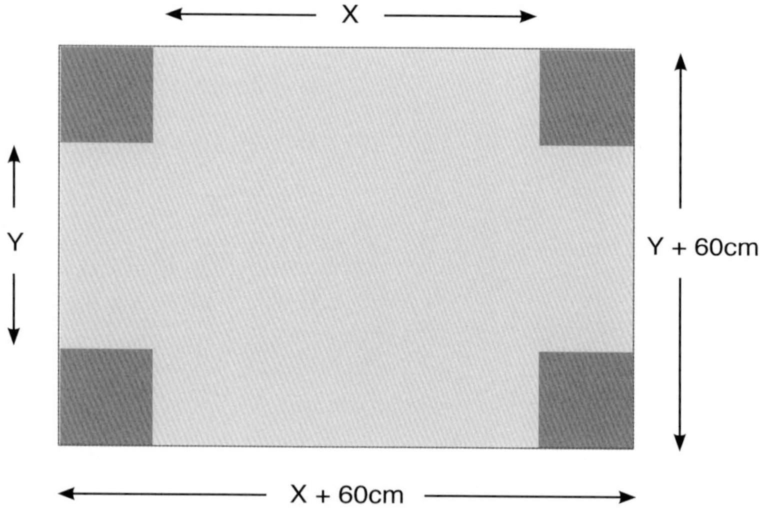

嬰兒床床圍：視個人需求

我們家鋪嬰兒床只用到大浴巾和床包，不需要床裙，也不需要買七件組或九件組的嬰兒床用品，很省錢也很好清洗。我們剛有老大時，美國家人送給我們一套嬰兒床的床圍。我們家每個孩子差不多五、六個月大時，會開始在嬰兒床上變換位置，偶爾手腳會卡到嬰兒床的欄杆，因爲無法動彈而大哭，這時我們的床圍就派上了用場。不過我大概只用幾個月就會拿掉，因爲我的床圍較低也較軟，很容易被寶寶弄亂，我嫌麻煩就懶得再用，還好寶寶卡住手腳的機會並不多。有些人使用床圍是因爲擔心寶寶的手腳協調性較差，不經意碰撞嬰兒床的硬欄杆會造成意外傷害，我們倒是沒遇過這樣的問題。

嬰兒床床墊：鋪在上面的東西才是重點

我們過去的經驗是，**嬰兒床用什麼床墊不是那麼重要，因爲重點是鋪在床墊上面的四條純棉大浴巾和床包。**我們用過木頭硬床墊（最上面密封一層薄塑膠墊）、海棉墊、薄塑膠布包海綿墊，也用過所謂的天然乳膠床墊（花了一千多塊大洋買的），各種不同的床墊本來都堪使用，可是到了老四就破功了。

我們家老四睡醒後常會玩床墊，乳膠墊很軟，他會把床墊掀開，抽出床包和浴巾，玩得不亦樂乎，我看見整張床被他弄得亂七八糟，簡直快要抓狂，每天都得重鋪他的床好幾回。

後來我在網路上找到嬰兒床用的彈簧墊，這種床墊較硬也較厚（足足有十二公分厚），可以按嬰兒床的尺寸訂作，雖然價格不菲，連特價都要兩千多塊，但我還是忍痛買下來，這小子這下就沒轍了。

我鋪床時，會把床墊拿下來，放在地上鋪浴巾和床包，鋪好後再放回嬰兒床上。量嬰兒床床墊的尺寸時，和床欄之間最好留兩公分，免得床墊鋪好後，很難放回床上。我當初就是沒想到要留空間，所以現在常常要很費力，才能把鋪好的床墊塞回嬰兒床，又是一次慘痛的教訓。

總而言之，眞正的重點在於怎麼鋪床，不過嬰兒床的床墊還是要有點厚度和硬度，否則不好鋪。又軟又薄的床墊就算鋪好，浴巾和床包也不容易固定，寶寶如果比較好動愛玩，媽媽就得勤快鋪床了。

鋪一張可以呼吸的床

首先在嬰兒床的床墊上平鋪四條厚的純棉大浴巾，最上面再平鋪一條純棉的床包，把床包四角往下拉，包住床墊。用床包比較容易包住整個床墊，若用床單，四邊都要往床墊下方塞緊，不要讓床單滑動。床包若包得緊（鬆緊帶車緊一點），寶寶就算好動，也不太容易弄亂。

我們第一次用這個方法鋪床時，曾經自己試過把臉朝下，鼻子貼住床

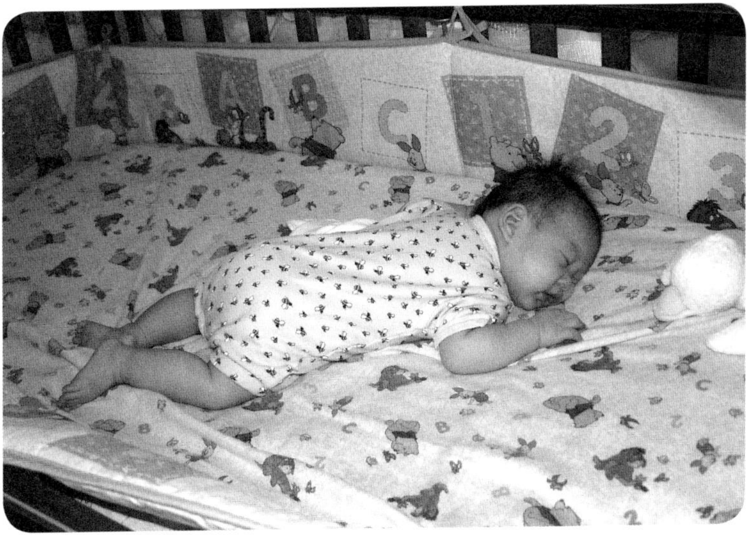

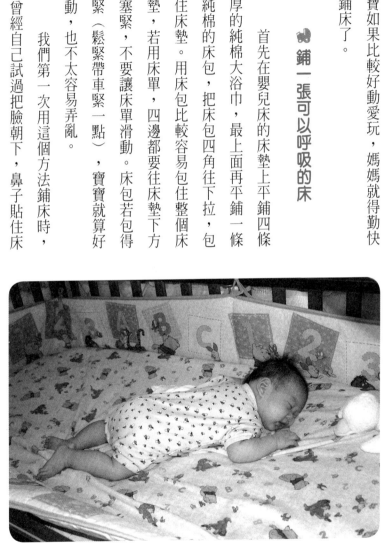

包，結果發現仍然可以呼吸，這是因爲下面鋪有四條夠厚的純棉浴巾，即使寶寶臉朝下仍有呼吸的空間。我們剛開始也會在寶寶的臉下面再鋪一條薄的純棉毛巾，如果吐奶的話，就不用立刻換洗床包。

喝完奶後可以趴睡嗎？

喝完奶後可以趴睡嗎？我們的經驗是，只要拍好嗝就沒問題。我們家老四有溢奶的問題，溢奶不是吐奶，而是在喝完奶後，三不五時會吐一口奶出來，很容易把衣服和床包弄髒。像這種情形，我們就是在餵完奶後，至少直立抱他十五分鐘，多拍拍背，盡量讓他把嗝都打出來。但溢奶的情況不見得能立刻解決，因爲有些寶寶溢奶的原因是肌肉發育尚未成熟，這個情況會隨著年齡改善，所以我們有好幾個月的時間，幾乎天天得換嬰兒床的床包，甚至大浴巾。不過寶寶到了一歲時，就不再有這個問題了。

我們家的寶寶白天小睡時，有時會吐一點奶在床包上，但都沒有發生過危險，因爲床包和下面的浴巾會吸收水分，而且寶寶的臉不會正面朝下貼住床包，臉側一邊睡時不容易讓吐出來的奶塞住口鼻。

嬰兒床上保持空曠

新生兒的床上不要放枕頭、毯子和長毛玩偶等物品，也不要用趴睡枕，直接趴在床包上就好，這樣可以避免新生兒的口鼻被摀住。

不過我們會在寶寶差不多四、五個月大時，開始在嬰兒床上放一隻安全、不容易掉毛的短毛玩偶來安撫寶寶，久而久之，這會成爲寶寶最愛的玩伴，當他醒來時，可以自己在床上玩玩偶。

所以我們家每個孩子都有自己最愛的安撫玩偶，他們把這些玩偶暱稱爲「朋友」，還給這些朋友取名字。當他們上床摟著自己的「朋友」時，就非常快樂滿足，在他們難過時，這些「朋友」也能帶給他們安慰。出門在外過夜時，有這些「朋友」在身邊，孩子就有一種歸屬感，我們做父母的看了，臉上不禁露出笑容，心中感到一股暖意。

趴睡的媽媽經分享

1. 新生兒自然的睡姿是趴睡，趴睡時有安全感，容易睡得好。
2. 趴睡的必要前提是嬰兒床要鋪對，在嬰兒床床墊上鋪四條純棉大浴巾，最上面用純棉床包把床墊包住。
3. 放寶寶上床前一定要拍好嗝，減少吐奶的可能。
4. 嬰兒床上要保持空曠，不要放枕頭、毯子等東西。

第三章

餵奶和拍嗝

我們家老大和老二在兩、三個月大時，都有厭奶的現象，我們仍然按照時間表餵奶，吃多少算多少，如果下一餐提早餓，我們也不會提早餵，根據我們的經驗，寶寶如果有飢餓感，厭奶的情況會改善一些。

「嗝！」寶寶打了一個響嗝，我們立刻高聲叫好。嬰兒打嗝的聲音聽在爸媽耳中，眞是全世界最悅耳的聲音！

善加利用餵奶時間

餵奶是親子親密互動的時刻，父母可以放輕鬆，享受這段親密的親子時光，若是用奶瓶餵奶，爸爸也可以幫忙，讓寶寶在喝奶時也可以感受到父愛。

瓶餵的姿勢

餵奶時，假設是用右手拿奶瓶，寶寶的頭就是靠在我們的左手臂上。我們會把寶寶的右手夾放在我們背後，用我們的左手輕握寶寶的左手，然後我們用右手拿奶瓶餵。根據我們的經驗，**坐在扶手椅上餵奶最理想**，因爲手可以靠在扶手上，坐起來舒服，心情也會比較輕鬆。

用奶瓶餵奶時，整隻手從下面輕輕托住奶瓶的下半部，將奶嘴放進寶寶口中，不要整個用力塞入，讓寶寶自己很自然地含住整個奶嘴。

防脹氣奶嘴最好用

經歷了四個寶寶，我最後的發現是，**防脹氣奶嘴的效果最好**，寶寶吸奶時很順暢，而且比較不會脹氣。等寶寶四個月大左右，我們會在配方奶中加入一兩匙嬰兒米精補充營養，這時就改用大號的十字孔防脹氣奶嘴。

拍嗝的姿勢

當我們還是新手父母時，試過幾種拍嗝的姿勢，比如放在肩上拍嗝或放在腿上拍嗝等，效果都不佳。後來有個朋友來訪，傳授她當年生產時護士教她的一招，結果效果奇佳，我們從此都用這個姿勢幫寶寶拍嗝。就是**讓寶寶背部挺直，坐在大人腿上，大人一手托住寶寶的胸部，手掌放在寶寶的腋下，另一手輕拍寶寶背部**。在寶寶還不會坐之前，比較難讓他坐直，但只要能夠坐直，有時還沒拍背寶寶就打嗝了。

喝奶量知多少

我們家都是餵配方奶，**新生兒每天的喝奶總量跟體重成正比，理論上每天的喝奶量——每一公斤體重是一百到一五〇毫升的奶量**，比如六公斤的寶寶，一天的喝奶量在六百到九百毫升之間，不過每個寶寶的體質不同，食量也不同，這只是個參考值。

經驗談　我家老大的喝奶量

我們家老大從剛開始每餐喝九十毫升配方奶，一天五餐（總量四五〇毫升，體重四公斤），奶量漸漸增加到一五〇毫升配方奶，一天四餐（總量六百毫升，五公斤），再到每餐喝二四〇毫升配方奶（加兩匙嬰兒米精），一天三餐（總量七二〇毫升，七公斤）。我們家四個孩子在每天的餵奶次數減少之後，每餐都會自動增加喝奶量，不會因爲餵奶次數減少而影響喝奶總量。

體重持續增加是正常成長的指標

三個月內的寶寶，體重平均每天增加三十公克，之後每天平均增加十五公克。一般而言，**寶寶滿月時的體重大約比出生時增加一公斤，到了四個月時大約是出生時的兩倍，到了週歲時大約是出生時的三倍**，當然這些只是參考值。

厭奶怎麼辦？

我們家老大和老二在兩、三個月大時，都有厭奶的現象，我們仍然按照時間表餵奶，吃多少算多少，**如果下一餐提早餓，我們不會提早餵**，根據我們的經驗，寶寶如果有飢餓感，厭奶的情況會改善一些。不過厭奶期間確實會令父母感到困擾、挫折和擔心，不知道寶寶有沒有在正常成長。我們的做法是，買一個嬰兒磅秤在家測量，天天記錄寶寶的體重，就會對他的成長情形一目了然。

經驗談　老大、老二的厭奶期

我們家老大在兩個月大時有厭奶現象，原本每餐可在十分鐘內喝完奶，這段期間卻要花四十五分鐘才能喝完，其中有幾天還會哭鬧。後來發現可能是脹氣的緣故，在醫生建議下改用十字孔奶嘴，結果有明顯的改善。這次的厭奶在三週後結束，然後胃口就恢復了。

我們家老大厭奶時，是喝得很慢，但是會喝完。可是老二厭奶時就不一樣了，她不是喝得很慢，而是喝得很少。她在三個月大時開始厭奶，那時一天喝四次奶，每餐喝奶量不定，一天的喝奶總量是五百毫升上下，當時她的體重已將近六公斤。後來改成一天喝三次奶，每天的喝奶總量就增加到六百毫升左右，我們發現等她的胃部排空有飢餓感再餵奶似乎有幫助。這次的厭奶大約持續兩週，還好體重增加的情形還算正常，不久之後胃口恢復，每餐可喝二四〇毫升的配方奶（加兩匙嬰兒米精），一天喝三次奶。

餵奶&拍嗝的媽媽經分享

1. 餵奶時要保持輕鬆愉快的心情，利用餵奶時間拉近親子關係。
2. 餵奶後一定要拍嗝。
3. 每天的喝奶量大約是每一公斤體重一百到一五〇毫升的奶量。
4. 體重持續增加是正常成長的指標，可以定期記錄寶寶的體重。
5. 短暫的厭奶是正常現象，可注意配方奶從奶瓶中流出是否順暢，以及餵奶時間的間隔夠不夠長。

第四章

建立固定的作息

作息固定後，父母可以預知寶寶的行為，寶寶也有安全感，因為知道父母會怎麼做。

我們家的孩子很喜歡固定的作息和時間表，他們喜歡知道接下來要做什麼，這讓他們對每天的生活抱持一種期待、興奮的心情，比如吃完早餐後，他們會問爸爸：「等一下可以去公園玩嗎？」這是因爲天氣好的時候，爸爸常會在早餐後帶他們去公園玩。或者他們知道吃完午餐後一個小時，就是午睡時間，所以午睡時間到時，不會討價還價，不肯去睡。他們很喜歡規律，在規律中有安全感。

寶寶睡眠知多少？

新生兒每天可睡二十個小時，三個月大寶寶每天可睡十六個小時，兩歲到六歲的孩子，每天可睡十二個小時。充足的睡眠有助於嬰兒的發育和成長，睡眠充足的孩子不但精力充沛，食慾好，也比較快樂，就跟大人一樣。

經驗談 我家孩子的睡眠時數

白天：

老大六歲，白天不睡。

老二四歲，老三兩歲，都是下午睡兩個小時。

老四一歲，上午睡兩個小時，下午睡兩個小時。

晚上：

四個孩子都是從晚上七點半睡到隔天早上六點半或七點，至少十一個小時。

我們家老三在一歲多時，開始不愛在上午睡覺，我們試過幾次讓他上午不睡，結果幾乎每次到中午吃食物泥時，都一面吃一面快闔上眼睛，可見他確實需要上午的小睡，所以我們就很堅持他上午至少要睡一個小時。後來他可以適應上午不睡之後，就改成只在下午睡午覺。由此可見，父母比孩子了解他們的需要，不能凡事都順著孩子的意思去做。

遵守「吃—玩—睡」的循環

我們帶新生兒回家後，第一件事就是幫助他建立固定的作息，**按照「吃—玩—睡」的循環，每四個小時餵一次奶，餵完奶後陪他玩半個小時左右，然後送他上床小睡。**三個月內的寶寶，我們家的餵奶時間是早上六點、十點、下午兩點、六點、晚上十點，半夜不餵奶（請參考下一章：讓寶寶一覺到天亮）。

固定作息讓媽媽寶寶都安心

作息固定後，父母可以預知寶寶的行為，寶寶也有安全感，因為知道父母會怎麼做。比如說，父母會知道寶寶正常的哭是什麼樣子，可以判斷寶寶是不是大便了等等，也可以更快、更準確地看出寶寶的異狀（這一點很重要，有助於找出真正的健康問題）。至於寶寶則會知道接下來會怎樣，不會總是被迫面對新的挑戰，這對寶寶很重要，因為挑戰勢必會自然地接踵而至。

吃：定時餵第一餐，四小時餵一次

每天固定在同一時間餵第一餐，餵奶時間間隔四個小時。在剛開始建立固定作息的一週內，寶寶很可能會提早餓，想要喝奶，我們會看情形，如果實在撐不到四個小時，至少會等三個小時再餵。幾天下來，寶寶提早餓的情況會改善，大約一週內就可以適應每四個小時喝一次奶。

溫柔喚醒睡過頭的寶寶

新生兒很愛睡覺，常常到了餵奶時間還在睡。我們會在餵奶時間快到時，先把寶寶的房門打開，拉開窗簾，放點輕音樂，然後把寶寶抱起來，溫柔地叫醒寶寶，搓搓手腳，用濕毛巾擦擦臉，或是給寶寶洗個澡。我們會盡量按餵奶時間餵奶，把白天的作息固定下來，因爲這是寶寶晚上一覺到天亮的一大關鍵。

玩：餵完奶後玩半小時

白天每次餵完奶後，我們會陪寶寶玩半個小時左右，抱他、逗他、親他、對他說話唱歌、擺動他的手腳，不只是抱著而已，還會跟他互動，給他充分的注意和關愛，滿足他情感上的需求。玩半個小時之後，確定寶寶已經拍好嗝，換上乾淨的尿布，我們就送他上床小睡。

睡：讓寶寶學會自己入睡

寶寶白天小睡時，我們會把房間的窗簾拉上，光線越暗越好，並且保持安靜，不放音樂。如果寶寶一上床就哭，我們不會立刻抱他，因爲知道已經滿足寶寶的所有需要，寶寶現在只是在表達他「想要」什麼——他想要我們繼續抱他、繼續陪他等等，但我們知道他「需要的」和「想要的」可能是兩回事。**寶寶此刻「需要」學會自己入睡，這不是玩耍和抱抱的時刻**。固定作息最棒的一點是，寶寶的需要會在適當的時刻得到滿足，這種做法讓寶寶在身心方面都能健康地成長。

如果我們擔心寶寶大便，會進去檢查，但不會哄他、抱他，否則會變成在訓練寶寶用哭來得到他「想要」的東西。

我們家每個孩子在一歲前，都是單獨睡在自己房間的嬰兒床，因爲干擾比較少，睡眠品質就會比較好。如果不得已，大人必須和寶寶睡同一個房間，可以利用家具或窗帘來區隔寶寶和大人的空間，至少要做到寶寶上床睡覺後，房間保持安靜，燈光照不到寶寶。像我們過年回娘家時，如果必須和寶寶睡一個房間，會在充當嬰兒床的遊戲床旁邊圍一條床單，來區隔空間和光線。

經過上述的訓練，我們家每個孩子不管白天或晚上都能自己入睡，不需要人哄，也不需要父母在旁邊陪睡。我們家四個孩子在一歲以前都是白天小睡兩次，一次至少睡兩個小時，晚上則連續睡十二個小時，也沒有出現白天睡，晚上就睡不好的情形。

經驗談　訓練老四自己入睡

我們家老四剛帶回家時，入睡前常會很吵，不斷發出叫聲，有時會小哭一陣，身體一直前後擺動。剛開始我們不了解他是怎麼回事，會進去檢查是不是大便或溢奶，他有時溢奶把床單弄濕，趴在上面不太舒服。我們曾經試過進去安撫他，但做了幾次之後發現無濟於事，他看見我們進來會很高興，但我們走了後，有時他確實會安靜下來，可是大多數時候還是繼續發出聲音。

後來我們決定不理他，除非懷疑他大便，否則我們盡量不進去看他，結果他自己玩累了就會睡覺，不需要人另外安撫。

不過我們也注意到一個現象，我們家老四的情感需求似乎較大，如果在他上床睡覺前，給他充分的注意和關愛，並且在放他上床後，輕撫他的背部幾下，輕聲向他道晚安，他通常會立刻安靜下來，較快入睡。

寶寶提早醒來哭，也不提早餵奶

在建立固定作息期間，如果餵奶時間還沒到，寶寶就已經醒來開始哭，我們通常會讓他哭，除非是大便或吐奶在床單上不舒服，這時我們會處理他的需要。有時我們會抱寶寶起來洗澡拖時間，原則上我們不會提早餵奶，會盡量拖到接近餵奶的時間再餵。

我們也不會提早把寶寶抱起來玩，因爲這樣一來，寶寶喝完奶後恐怕會很累，必須立刻上床小睡，就破壞了「吃－玩－睡」的循環。

根據我們的經驗，等寶寶適應固定的作息之後，如果提早醒來，通常會自己安靜地在嬰兒床上玩，不會哭鬧，所以這個階段的哭只是暫時的，以後不會每次提早醒來就一直哭，除非父母的做法不一致，有時仍會進去哄寶寶，寶寶可能就會．再嘗試用哭來尋求父母的注意。我們做父母的需要很有智慧，需要懂得分辨什麼時候該抱，什麼時候該放手。

經驗談 建立固定作息的挑戰

我們帶老大回家後，就開始學習爲寶寶建立固定的作息，我們發現剛開始一兩週內特別需要智慧和耐心。在第一個禮拜時，她有幾次在晚上最後一餐（十一點）前一個小時開始哭，檢查之後並不是大便或身體不舒服，當時我們對嬰兒的哭不甚了解，內心頗爲掙扎，聽到她的哭聲十分不忍，不知道該不該提早抱她起來或提早餵奶。剛開始我們試過抱她起來，但她第二天仍如法泡製，我們覺得這樣下去不是辦法，只好任憑她哭一陣子，結果只試一兩次，就改掉她這個習慣，後來她提早醒來時，會很滿足地自己玩，而不是哭鬧著要人抱。

大人的態度是訓練成敗的關鍵

我們觀察到大人如果很緊張，一直哄寶寶，寶寶就很容易焦躁不安，常常要人哄。嬰幼兒很需要固定的作息時間和照顧方式，在這個階段需要保護孩子的作息，不能輕易讓一些事情或別人來打亂，我們會盡量把優先順序理清楚，然後照著去做。

大多數時候，問題不是出在寶寶，而是出在我們身上。寶寶其實都是憑本能和習慣行事，而**他們的習慣都是我們養成的，都是受到我們的影響，我們的一舉一動都是在訓練孩子，即使我們不自覺**。

根據我們的經驗，**當孩子的行為或習慣出問題時，第一個要檢討的是我們自己**，如果我們不如意的時候，都用愁眉苦臉、怨聲載道的態度來面對，那麼孩子在不如意的時候，也很容易模仿我們，用發牢騷的態度面對。我們不喜歡孩子這樣，有時會教訓孩子要感恩，不可以老是發牢騷，但我們常會發現，其實自己就是愛發牢騷，眞是慚愧。我們深深體會到，父母必須先學會感恩，孩子才能學會感恩，身教眞的比言教有影響力。

作息時間打亂了怎麼調回來？

外出或有親友來訪時，很容易會打亂作息時間。基本上餵奶時間是固定的，即使外出也可以事先想好要在哪裡餵奶，若是餵配方奶，可以事先備好奶粉和熱開水。**如果白天小睡時間受到干擾，只好到下一段「吃—玩—睡」循環時再重來**。如果出門回來時，寶寶在嬰兒推車裡睡著了，而這時正是寶寶該睡覺的時間，可以直接送寶寶上床睡覺。

有了固定的作息時間後，即使偶爾被打亂，也會很容易調整回來。其實寶寶自己也不會喜歡作息時間被打亂，當作息恢復正常時，寶寶也會鬆一口氣。

兒童房的安排

我們家有兩個兒童房，只有兩個孩子時很簡單，一人一間。老三來了之後，需要單獨睡一間，比較好訓練一覺到天亮和白天的小睡，這時我們就訓練兩個姊姊睡一間。我說訓練是因爲兩個小女孩剛開始太興奮，尤其是妹妹，常會下床跟姊姊玩，令我們十分頭痛。後來我們用家具隔開兩姊妹的空間，讓她們躺在床上時彼此看不見對方，加上積極一致的訓練和管教，兩姊妹終於可以克服好奇心，上床後就乖乖睡覺。

老四來我們家時，老三還不到一歲半，但嬰兒床必須給弟弟睡，我們就訓練老三睡兒童單人床，而且跟兩個姊姊睡同一個房間。剛開始老三也有好奇心過重的問題，老是下床玩玩具，但經過訓練和管教之後，現在也能在上床後乖乖睡覺。

根據我們的經驗，**訓練寶寶建立固定作息和一覺到天亮時，讓寶寶單獨睡一個房間很重要，可以避免許多不必要的干擾**。

我家的作息時間表

讀者也許覺得好奇，在我們這個有四個學齡前幼兒的家中，每天的生活作息大概是什麼樣子呢？我們一起來看看。

早上五點	爸媽起床工作。
早上七點	四個孩子起床。
早上七點半	餵兩歲的老三和一歲的老四吃食物泥。
早上八點	吃早餐。

早上八點四十五～早上十點	吃完早餐，如果天氣好，爸爸會帶三個孩子去公園玩，媽媽開始忙家事——買菜、洗菜、洗碗、準備食物泥、洗衣服、晾衣服、烘衣服或折衣服（六歲的老大可以幫忙折衣服）、準備午餐。
早上九點半	一歲的老四上床小睡。
早上十點	爸爸開始工作；老大、老二、老三在家一起玩。媽媽忙完家事後，有時會帶老大、老二、老三出門採購日用品（媽媽騎親子車載老二老三，老大自己騎腳踏車）。
早上十二點	老四起床；其他家人吃午飯。
下午一點	餵老三、老四吃食物泥。
下午兩點	老二、老三、老四上床小睡；爸爸工作；老大安靜地在爸媽旁邊自己玩、看書或寫爸爸出的作業。媽媽做翻譯工作一個小時。
下午三點半～下午四點半	媽媽每週三天在家（放DVD）運動一個小時。
下午四點半	老二、老三、老四起床、洗澡。

下午五點	吃晚飯。
晚上六點半	餵老三、老四吃食物泥。
晚上七點	所有的孩子準備上床——刷牙、上廁所、換尿布、換睡衣，然後爸爸跟孩子一起唱歌、禱告，最後按著年齡，從小到大一一擁抱親吻孩子，等孩子上床了，媽媽會進來親孩子、道晚安。
晚上七點半～晚上十點半	爸媽喘氣的時間。

建立固定作息的媽媽經分享

1. 固定的作息給寶寶安全感，父母也能預知寶寶的行為。
2. 建立固定的作息，每四個小時一次「吃－玩－睡」的循環。

第五章

讓寶寶一覺到天亮

父母必須懂得分辨孩子的「想要」和「需要」，才能做出對寶寶有好處的明智決定，也才不會有不該有的罪惡感。

在忙碌的一天結束後，能夠上床睡個好覺，是一件幸福的事。而寶寶可以一覺到天亮，爸爸媽媽也可以一覺到天亮，更是一件幸福的事！

訓練寶寶晚上連續睡八個小時

建立固定的作息時間後，就可以訓練寶寶一覺到天亮。我們家老大是出生離開醫院後隔天就到我們家，當時才十一天大，老二是五週大時到我們家，老三和老四都是五個月大時到我們家，四個孩子來我們家之前，白天大多已經每四個小時喝一次奶，而且半夜會起來喝奶。

我們帶寶寶回家後，如果是白天，就先固定每四個小時餵一次奶，然後當天晚上直接訓練一覺到天亮。我們的做法是，每天晚上餵完最後一餐後（比如我們是晚上十點或十一點那餐，也就是第五餐），不再陪寶寶玩，確定寶寶已經拍好嗝，換上乾淨的尿布後，就直接送他上床。寶寶如果一上床就哭，我們不會馬上抱他，因爲他只是「想要」繼續跟父母在一起，但此時他「需要」的其實是好好睡一覺，**父母必須懂得分辨孩子的「想要」和「需要」，才能做出對寶寶有好處的明智決定，也才不會有不該有的罪惡感**。

我們做父母的，會盡力去滿足寶寶所有的需要，而且是在適當的時刻去滿足。當我們送寶寶上床後，如果寶寶立刻開始哭，我們不會馬上抱他，這樣是在訓練他，讓他知道這是睡覺的時候，不是抱抱的時候。我們這樣做是在幫助他，對他有好處，並不是忽略他。寶寶也許不喜歡，但這仍是此刻應該做的事。

我們在寶寶剛來時，因爲對寶寶還不了解，如果寶寶半夜哭了，我們會稍微在門外探一下，或是檢查有沒有大便。如果寶寶大便，我們會迅速換好尿布就出來；如果沒有大便，而且一次兩次進去檢查都沒事，大致上就不會有事，孩子只是還在適應作息。總而言之，我們是用一種就事論事的態度進去解決問題，不會在這個時候去哄他、逗他或抱他，我們會盡力保護和尊重寶寶的睡眠時間。

不過當寶寶生病不舒服時，會特別需要父母的安慰，這是非常時期，不能完全按照平常的做法。放寶寶上床後，如果他因爲不舒服（比如鼻塞不能呼吸）

而一直哭鬧得厲害，我們有時會把寶寶抱起來安慰，坐在一張舒服的椅子上靜靜地抱著他、陪他、安撫他。如果乾掉的鼻涕塞住寶寶的鼻子，我會用熱毛巾幫他清乾淨。連大人生病時都需要別人的安慰，更何況是孩子。

在訓練寶寶一覺到天亮的階段，我們半夜幾乎都不進寶寶的房間，頂多在門外注意一下。我們家老大個性活潑好動，在十一天大時訓練一天就一覺到天亮；老二脾氣倔強，在滿五週時訓練六天一覺到天亮；老三性情溫和，在五個月大時訓練一天就一覺到天亮；老四很愛哭，對身體的不適十分敏感，但是五個月大帶回家時，已經可以一覺到天亮了。

能夠一覺到天亮的寶寶，因爲睡眠充足，可以促進生長發育，而且醒來後心情通常很好，會自己在床上玩，不會哭鬧。

經驗談　訓練十一天大的老大一覺到天亮

我們接老大回家那天晚上，她八點鐘在孤兒院喝過奶，我們九點多抵達時她正在睡覺，後來跟我們坐車回家一路上也都在睡覺。我們回到家時已經是凌晨一點多，趕在兩點以前餵奶、拍嗝，換上乾淨的尿布後，就把寶寶送上床。清晨五點時，寶寶哭了，我們沒理她，十五分鐘後，她又睡著了。

到了七點時（這算是第二天），她醒來了，我們就餵她吃奶（當時我們的餵奶時間是早上七點、十一點、下午三點、晚上七點、十一點），接下來每隔四個小時餵一次奶，餵完後陪她玩大約半小時，然後送她上床小睡。晚上十一點餵完最後一次奶，拍過嗝，換上乾淨的尿布，把寶寶送上床後，她斷斷續續哭了一陣子。我們確定她沒有異狀，就沒有進去抱她起來或哄她，後來她就一覺到天亮，半夜也沒有醒來。我們很驚訝，也很興奮，剛出院十一天的新生兒就可以訓練一覺到天亮，而且已經會自己轉頭換邊睡，沒想到我們第一次訓練寶寶一覺到天亮竟然這麼順利。

第三天白天也是按表操課，晚上十一點餵完最後一次奶後，我們陪她玩了很久（這是錯誤示範），結果她上床後又哭了好一陣子才睡，但半夜沒有醒來。

第四天早上七點該餵第一次奶時，寶寶還沒醒，我們就叫寶寶起床。再經過一天的按表操課，晚上最後一餐餵完送寶寶上床後，她這次沒哭，立刻睡著了，也是一覺到天亮。自此寶寶每天晚上上床後就不再哭鬧，而且可以連續睡八個小時。

經驗談 訓練五週大的老二一覺到天亮

我們訓練老二一覺到天亮的過程吃了不少苦頭，老二的個性非常倔強，訓練她做任何事情都需要花較長的時間。我們帶老二回家後，是用主臥室隔壁的小房間做嬰兒房，訓練她一覺到天亮的那幾個晚上，我們幾乎無法成眠。光是那幾天的疲累就讓我們耗盡精力，大概一兩個月後才恢復元氣，而且那段時間，常在半夜以爲聽到寶寶哭，可是起來查看卻發現寶寶睡得很熟，眞叫人哭笑不得。

第一天晚上，她睡了兩個小時後，突然哭了二十分鐘；哭完睡了兩個小時後，又哭了二十五分鐘；這次哭完睡了十五分鐘後，接下來又哭了好一陣子。因爲才剛帶寶寶回家，對寶寶的狀況還不了解，剛開始幾次寶寶哭時，我們會去確定一下有沒有問題，是不是大便了，但不會抱她起來或哄她。有幾次我擔心寶寶會不會怎麼了，但我先生總是說，聽到她哭就至少知道她沒事。那一夜我們當然無法安眠。

第二天晚上，寶寶一覺到天亮，五點四十五分餵奶。

第三天晚上，寶寶一覺到天亮，五點四十五分餵奶。

第四天晚上，寶寶一覺到天亮，五點半餵奶。

第五天晚上，寶寶從凌晨四點半斷斷續續哭到五點半，五點半餵奶。

第六天晚上，寶寶從凌晨三點十五分斷斷續續哭到五點，五點餵奶。

第七天以後，她可以穩定地一覺到天亮了，每晚連續睡八個小時。我們終於鬆一口氣，但她偶爾會半夜短暫啼哭把我們吵醒（後來才知道有些小孩子會這樣），我們只好把嬰兒房改到離主臥室較遠的房間，這樣一來就不容易互相干擾，寶寶和父母都可以天天一覺到天亮。

省略第五餐（晚上連續睡十二個小時）

當寶寶白天每四個小時喝一次奶，一天喝五餐，晚上可以連續睡八個小時之後，接下來就可以準備省略第五餐不餵（也就是最後一餐不餵），一天只餵四餐，寶寶的喝奶量會自然增加，不會影響總奶量。

我們的做法是觀察寶寶到了最後一次的餵奶時間，是不是仍然繼續熟睡。白天到了餵奶時間，如果寶寶還在睡覺，我們會把他叫醒。當我們準備幫寶寶省略第五餐時，**如果到了最後一次的餵奶時間，寶寶還在睡覺，就不叫醒他，讓他自然地連續睡十二個小時。**

經驗談 省略第五餐

我們家老大五週大時，有一次第五餐的餵奶時間到了，她還是繼續熟睡，我們就沒有叫醒她，結果她從晚上六點多睡到隔天早上六點多，中間都沒有醒來也沒有哭。連續三天都這樣之後，從此每天晚上都連續睡十二個小時，就這樣，我們很自然地省略了第五餐。

一覺到天亮的寶寶要多包一塊尿布

因爲晚上連續睡八個小時或十二個小時，中間不換尿布，所以每晚睡前可以包兩塊尿布，甚至包兩塊大一號的尿布，以免尿布吸收不了而弄濕衣服。

和公婆或其他家人同住

爸爸媽媽在訓練寶寶一覺到天亮的期間，因爲知道一覺到天亮對寶寶有好處，就比較能夠忍受寶寶的哭聲。如果和其他家人同住，可以先說明一覺到天亮對寶寶的好處和整個訓練過程，讓他們有心理準備，大約要花一兩週的時間訓練。可以把**寶寶安排在離家人比較遠的房間，盡量讓他們聽不到哭聲**，不過這眞的不容易辦到。

我們知道有一對夫婦爲了想訓練寶寶一覺到天亮，就在朋友出國度假兩週、家中沒人住時，借住在朋友家來訓練寶寶。在沒有外人的干預下，兩週後寶寶果然可以一覺到天亮，而且回家後仍然可以天天一覺到天亮。如果在家中不方便訓練寶寶一覺到天亮，這也不失爲一個好方法。

遊戲床充當嬰兒床

外宿沒有嬰兒床可使用時，若是可能，可以攜帶遊戲床充當嬰兒床，這對寶寶的睡眠有很大的幫助。遊戲床在我們家是必需品，雖然不見得常常使用，但眞正需要用時，眞的可以派上大用場。像我們過年都會回娘家住好幾個晚上，出發前幾天先把收納好的遊戲床寄回去，到時候寶寶就有個舒適不受干擾的嬰兒床可以睡。

遊戲床的另一個妙用是，有時父母在忙，不方便陪寶寶玩，這時可以在旁邊擺個遊戲床，把寶寶放在遊戲床內玩耍。在遊戲床內放寶寶喜歡的玩具，通常他就可以在裡面安靜地玩一陣子。

如果覺得不會經常用到遊戲床，可以考慮買二手的，很多二手遊戲床狀況仍佳，買起來很划算。

讓寶寶一覺到天亮的媽媽經分享

1. 寶寶帶回家後，就可以開始訓練他晚上連續睡八個小時，半夜不餵奶，一天餵五次奶。
2. 當寶寶在第五餐的時間一直睡過頭，這時就可以省略第五餐，訓練寶寶晚上連續睡十二個小時。
3. 充足的睡眠是健康的關鍵，訓練寶寶一覺到天亮是在幫助他，對他有好處。
4. 與家人充分溝通育兒理念，一起來訓練寶寶一覺到天亮。

第六章

自己做食物泥

食物泥的營養價值遠高過用大骨熬湯煮成的白米稀飯，而且打成泥狀的食物泥分子小，好吸收，寶寶也愛吃。

我常覺得自己像是「一人食物加工廠」，一人包辦買菜、洗菜、煮菜，腦中不停地計算分量，用量杯把各樣煮好的食材分裝在大大小小的容器中冷凍起來，洗一堆永遠洗不完的容器，天天把各樣食材混合攪拌，打成一杯杯的綠色食物泥。雖然經常忙得暈頭轉向，我卻樂此不疲，因爲自己用心做出來的食物泥營養衛生便宜又好吃，寶寶長得頭好壯壯，那種成就感難以形容。尤其我們家每個寶寶對這食物泥都非常捧場，有時每吃一口食物泥就發出「哞！」的聲音來表示他的愉悅和享受，一口接一口，彷佛人間美味。

自製食物泥營養又健康

食物泥的營養價値遠高過用大骨熬湯煮成的白米稀飯，這是顯而易見的事實。白米本身的營養很少，大多只有熱量，但採用豐富食材做成的食物泥，澱粉、蛋白質、蔬菜和水果的分配均衡，營養價值非常高。光把食物切碎或搗碎還不夠，尚未長齊牙齒的寶寶咀嚼不完全，腸胃無法消化和吸收，會照食物原來的樣子排泄出來，所以給寶寶吃的食物一定要打成泥。打成泥狀的食物泥分子小，好吸收，寶寶也愛吃。

做食物泥的配備

*調理機：必須能夠把食材打成口感柔順的食物泥。我們打壞過兩台調理機，後來狠下心買了有機店打精力湯的那種調理機（Vita-Mix），打出來的效果令我們非常滿意。我們自己早上也會打果菜汁來喝，連花生醬都是自己打的呢。

*橡皮刮刀：用來把調理機內的食物泥刮乾淨，可在烘焙店或超市買到，最好買耐高溫的刮刀。

*製冰盒：挑冰塊容量大一點的結冰盒，我用的結冰盒每格大約三十毫升（兩大匙），共十六格。

＊貯存食材的保鮮盒：挑選可密封、可微波、可冷凍的容器，我在不同的階段會用到不同容量的保鮮盒，比較常用的有兩百～二五〇毫升、三百毫升和五百毫升，我家的廚櫃堆滿了保鮮盒。

＊量杯和量匙：一杯是二五〇毫升，一大匙是十五毫升，一小匙是五毫升。

不可使用的食材

嬰兒食物泥必須使用天然食材製作，不可添加人工調味料，如鹽、糖、醬油、味精等等，也不可用油烹煮，不可用肥肉，不可放加工過的食品或乳製品，因爲這些都是嬰兒不易消化的東西。

經驗談　使用不當食材

去年感恩節我做了火雞大餐，吃完後剩了很多火雞肉，我想火雞肉和雞肉差不多，就拿來代替雞胸肉打食物泥，老三吃完後，半夜卻吐了。我帶老三去看我們很熟的小兒科醫師，她說應該是消化不良，我本來說食物泥的食材都是固定的，後來才想到我煮火雞時，有加奶油。奶油對嬰兒來說是很難消化的東西，既是脂肪，又是乳製品，我們家老三出生時有先天幽門狹窄的問題，曾經動過手術矯正，這樣的孩子腸胃本來就比較弱，難怪吃了奶油之後，食物積在胃裡不消化，到了半夜就吐出來。還好後來不吃之後就立刻沒事了，給嬰兒吃的食材真的要很小心啊。

我常用的食物泥食材

我都是在傳統市場買菜，挑選新鮮的好食材，除了雞蛋是買有機的以外，並沒有刻意買有機的食材來做食物泥。

＊澱粉類：胚芽米、糙米、地瓜、馬鈴薯

白米是精製穀類，營養價值低，缺乏膳食纖維，糙米是非精製穀類，富含膳食纖維、維生素和礦物質，能夠促進腸胃蠕動，不過我怕剛開始寶寶腸胃尚無法適應，就先用胚芽米（不摻白米），等寶寶適應後再改用糙米。當寶寶吃胚芽米或糙米都沒問題後，我會開始加入地瓜或馬鈴薯，地瓜可以增加甜度，相對的就可以減少香蕉的使用量。

＊蛋白質類：雞蛋、雞胸肉（或任何瘦肉）、米豆

動物性蛋白質我都是固定用雞胸肉（不用含荷爾蒙的肉雞）和雞蛋（不用含抗生素及荷爾蒙的蛋），也可以用其他肉類，但要用瘦肉，魚也可以用（我很少用魚，因味道較腥）。

植物性蛋白質我都是固定用米豆（black-eyed peas，又叫眉豆），因爲米豆的蛋白質含量豐富。米豆可在賣乾貨的市場（比如台北市的南門市場）或有機店買到，我以前在南門市場買，一斤五十元，但離家遠不方便，後來在住家附近的有機店買到，一斤七十元，價格還不錯，但其他有機店的米豆都很貴，一斤將近兩百元，我買不下手。

＊蔬菜類：高麗菜、胡蘿蔔、青江菜（鈣質含量豐富）、地瓜葉（可幫助排便）、綠豆芽

我清洗蔬果的方式是，取大容器裝過濾水，加入天然成分的蔬果洗潔劑（可去除蔬果上殘留的脂溶性農藥殘留物、果臘和有害化學物質），把蔬果放在水中浸泡五到十分鐘後，把水倒掉，重新用乾淨的過濾水再浸泡二十分鐘（葉菜只泡十分鐘）後瀝乾。

＊水果類：香蕉、蘋果

我都是用熟香蕉，有時也會加點蘋果，重點是要甜。

食材由簡入繁

剛開始先使用幾樣基本的食材就好，不要做得太複雜，讓味道簡單一點。澱粉、蛋白質、蔬菜、水果這四類營養中，先各自選用一種食材就好（蔬菜較易消化，可用兩種），等寶寶適應後再慢慢添加其他食材。

料理食物泥的鍋具

用不鏽鋼鍋烹煮食物不會產生毒素，爲了健康的考量，我們早在十年前有孩子之前，就已經把家中的鍋具全部換成厚重密實的不鏽鋼平底鍋。

如何烹煮單樣食材？

＊蔬菜類

1.在鍋中放少量過濾水（大約兩公分深），先放根莖類蔬菜下去，水開後煮三分鐘，然後放葉菜進去一起煮兩三分鐘。根莖類蔬菜可切片，比較快熟，葉菜類燜熟即可，不要煮太爛。

2.煮好的蔬菜稍微放涼後，和鍋中煮菜的水一起倒入調理機打成泥，如果太稠可再加飲用水（我都是用過濾後的冷水），然後分裝在小容器中冷凍貯存。

經驗談 錯誤示範

我有幾次在蔬菜煮好後，直接打成泥，沒有放涼就熱熱地倒進製冰盒。我完全沒有想到製冰盒並不是耐熱的器皿，這麼熱的蔬菜泥倒進去，塑膠都變形了，更糟的是可能會產生毒素。我發現之後很懊惱，做嬰兒食物泥眞的需要謹慎，也需要用點腦筋。

＊澱粉類

胚芽米：將胚芽米泡過濾水一兩個小時後，用過濾水快速洗淨兩遍，加一．五倍的過濾水煮熟。我後來買到免洗免泡的糙米，就省略洗泡的步驟。可以用電鍋煮飯，我是用不鏽鋼平底鍋在瓦斯爐上煮飯，水滾後將泡沫撈出，開鍋蓋用小火煮（蓋上鍋蓋煮容易溢出來），偶爾攪拌一下，十分鐘後蓋上鍋蓋燜至少一個小時就可以使用。飯放涼後，分裝在小容器中冷凍貯存。

地瓜、馬鈴薯：刷淨後連皮放進烤箱烤熟，大約用攝氏兩百度烤一個小時，烤好後用牙籤插進去看看是不是夠軟，如果還太硬，可再多烤幾分鐘。放涼後，切大塊分裝在小容器中冷凍貯存。

＊動物性蛋白質：肉蛋類

＊蛋

一歲以下的嬰兒大多還無法消化蛋白，只能吃蛋黃。我有時是用水煮蛋，把蛋白剝掉，只用蛋黃（我們家女兒喜歡吃剝掉的蛋白，所以不會浪費）。有時我直接取生蛋黃，加等量的過濾水攪拌均勻後，微波至熟（一顆蛋黃大約微波三十秒，微波時最好蓋上微波用的蓋子以免爆炸，弄得到處都是蛋黃很難清理）。不想用微波爐的話，可以用蒸的或煮的，蛋白可留下做菜或煎蛋時使用。如果一次煮多顆蛋黃的分量，可分裝在小容器中冷凍貯存。

*雞胸肉

先用檸檬皮將雞胸肉洗淨，切成薄片瀝乾。我煮雞胸肉的方法是：拿一只大的不鏽鋼平底鍋預熱後，將雞胸肉一片片放入鍋中鋪平乾爆，鋪滿一層後多出的就直接放在上面，蓋上鍋蓋煮大約三分鐘。開鍋蓋，將雞肉翻面，讓雞肉輪流接觸鍋面，因爲雞肉只是瀝乾，所以加熱後會生出許多水來，不必加水就有足夠的水分將雞肉煮熟。每兩分鐘就開鍋蓋攪拌一下，等雞肉全部變成白色後，熄火蓋上鍋蓋燜三分鐘，然後就可以將雞肉盛起。

因爲雞肉未經汆燙，爲衛生起見，鍋中剩下的水我通常棄置不用。也可以用水煮的方式，水滾後，放入雞肉，煮到全部變白色後，熄火燜幾分鐘後立刻盛起，剛好熟的雞肉很嫩，煮太久肉會變老。煮熟的雞肉放涼後，用料理用的剪刀剪成小塊，再分裝在小容器中冷凍貯存。

＊植物性蛋白質：豆類

煮豆子要注意兩件事，才不會造成脹氣，第一，生豆子要先在過濾水中浸泡，可以泡過夜或至少泡四小時，水量要夠多，約材料的五、六倍，這樣可以去除抑芽素，豆子才能完全膨脹。豆子泡水膨脹後，將水倒掉，用過濾水清洗兩遍，瀝乾，然後一一挑出變色或壞掉的豆子。米豆的外皮我沒有去掉。

將米豆放進鍋中，加過濾水，水要蓋過豆子至少兩公分。水滾後會出現許多泡沫，一定要將泡沫撈出，這是避免脹氣的第二個步驟。我通常會用小火、開鍋蓋煮十分鐘，然後放進燜燒鍋中放至少一個小時再使用。以前沒有燜燒鍋時，我大概是小火煮二十分鐘後，蓋上鍋蓋燜一兩個小時再使用。

米豆煮好放涼，分裝在小容器中冷凍貯存，剛開始用量不多時，我會把米豆放在製冰盒中冷凍，一次使用一個冰塊的量。

＊水果類

水果不用煮。香蕉一定要夠熟，使用前嘗嘗看甜不甜，夏天大約一兩天就會甜，冬天大約四、五天，寒流來時甚至要一個禮拜才會甜，要事先計畫好什麼時候需要香蕉，提早買回來，免得等到要用時才發現香蕉還不甜，結果做出來的食物泥寶寶不肯吃。

如果寶寶容易軟便，不能吃太多香蕉，香蕉可以減量，另外加些蘋果，不過蘋果比較酸，尚未適應食物泥的寶寶可能不愛吃，進口葡萄通常很甜，也可以試試看。我每次開始給寶寶嘗試食物泥時，都只用熟香蕉來調味。

一週的生食材分量

（以每餐500毫升食物泥計算，一天1500毫升）

糙　米：大約五杯

地　瓜：大約一斤半

蔬　菜：高麗菜一斤、青江菜五顆、胡蘿蔔一支、地瓜葉半斤（寶寶如果軟便，可改用其他深綠色葉菜）

米　豆：300公克

雞胸肉：兩大片

香　蕉：十四根

熟食材分裝後每一盒的分量

食材煮熟放涼後，分裝成七盒放冷凍庫貯存，每一盒的容量如下：

糙 米 飯：300毫升（未打成泥）

烤 地 瓜：100公克（未打成泥）

蔬 菜 泥：250毫升（要打成泥）

米　　豆：125毫升或半杯（未打成泥）

雞胸肉塊：100公克（未打成泥）

打食物泥的步驟（以每餐五百毫升食物泥計算）

食物泥的各類食材如下：糙米飯、烤地瓜（澱粉）、米豆、雞胸肉塊（蛋白質）、蔬菜泥、兩根香蕉或一根香蕉加蘋果一百公克、飲用水。

先把飯倒進調理機，如果飯尚未完全退冰，可微波一分鐘解凍；放地瓜；放米豆；如果有加蘋果，可在此時加入；放雞肉；放五百毫升的飲用水；高速打成泥，如果太稠打不動，必須再加水，打到柔順為止（高速使用不宜持續一分鐘以上，若需要打更久，可先關掉再重開。）

關掉調理機，倒入蔬菜泥，加進兩根香蕉（若有加蘋果，香蕉只需一根），再以高速攪拌均勻，如果有點打不動，不用再加水，我都是從上面用橡皮刮刀稍微攪拌一下，但可要小心別一時大意，鬆手讓刮刀掉下去。（我有一次就發生這樣的慘劇，發出的巨響不但差點把自己嚇昏，而且一支耐高溫、要價四百五十元的刮刀就這樣毀了，真是心疼得不得了。當然那三份食物泥也不能用了，因為裡面有橡皮碎片，清不乾淨。）

這樣打出來大概有一千五百毫升，分成三份冷藏，供接下來的三餐使用。

食物泥的濃稠度

我喜歡把食物泥打稠一點，打到最後食物泥在調理機內的攪拌速度變慢，幾乎有點攪不動，但是已經打得十分柔順，這樣的口感比較稠，有點像在吃慕司甜點。

稠一點的食物泥比較好餵，用湯匙舀起來時，不容易滴得到處都是，內容也比較實在。如果怕寶寶口渴，可以另外給寶寶喝水。

口感濃稠的食物泥對寶寶也是一個挑戰和學習，這是從喝奶到吃正常食物的一個過渡時期。

自製一週分量食物泥的成本

糙米：四杯，約四十元。

地瓜：一斤半，約三十元。

蔬菜：高麗菜半斤、青江菜六顆、胡蘿蔔一支、地瓜葉半斤，約八十元。

米豆：兩百五十公克，約三十元。

雞胸肉：兩大片，約一百元。

香蕉：十四根，約一百四十元。

製作一週食物泥所用的食材費用大約四二〇元，平均每天約六十元，每餐二十元。自製食物泥經濟實惠，營養衛生又健康，何樂而不爲？

多久準備一次食材和打食物泥？

每一個媽媽每天能花多少時間準備食物泥都不一樣，以下提供三種方式，讓媽媽自行選擇較適合自己時間表的做法。

＊**一天只準備一種食材，每天攪拌一天份的食物泥（適合需要上班的媽媽）**

我要照顧四個孩子，要料理三餐，還要抽空做翻譯工作，所以每天無法花太多時間準備食物泥。經過六年的實作經驗，我自己採用的這套方法應該很適合需要上班的媽媽。我目前有兩個孩子（兩歲和一歲）在吃食物泥，需要做雙份的食物泥，很像在帶雙胞胎。

我大概安排一天煮一種食材，一次煮一週的分量，比如禮拜一煮飯，禮拜二煮米豆，禮拜三煮蔬菜，禮拜四煮雞肉，禮拜五烤地瓜，煮好放涼後分裝在小容器中冷凍貯存。香蕉也可以一週買一次，熟了之後全部打成泥，分裝在小容器中冷凍貯存。

第一次準備食材時，必須全部的食材都做，但分量不同，然後每一天會有不同的食材用完，哪個食材用完，那天或前一天就再做一週的分量。比如禮拜一準備一週的飯、六天的米豆、五天的蔬菜泥、四天的雞肉、三天的地瓜，兩天的香蕉泥。這樣的話，禮拜三會用完香蕉泥，用完那天就再打一週的香蕉泥，以後每個禮拜三都固定打一週的香蕉泥；禮拜四會用完地瓜，用完那天就煮一週的地瓜，以後每個禮拜四都固定煮一週的地瓜；禮拜五會用完雞肉，用完那天就煮一週的雞肉，以後每個禮拜五都固定煮一週的雞肉。以此類推，**一天只要預備一種食材即可**，對每天抽不出太多時間預備食物泥的媽媽來說，相當方便和省事。

為了不把自己弄得暈頭轉向，剛開始最好列個清單，並且用表格記錄哪一天要預備哪一種食材，尤其像香蕉必須提早幾天買好等它變熟變甜，否則臨時要用才發現不甜眞是會急死人。像我現在已經駕輕就熟，不太需要在紙上記錄，基本上我每天從冷凍庫拿出食材到冷藏室退冰時，會留意一下哪些食材快要用完，當某樣食材用到最後一盒時，就知道明天得再預備一週的分量，有時還剩一兩盒，但我剛好有時間，就會提早預備，不是絕對固定哪天預備哪種食材，這是比較有彈性的做法。

時間夠的話，有時我會一天準備兩種食材，這樣就不用天天準備。有時候食材做好後，分量太多或太少，並不是剛好一週的分量，但只要留意什麼時候快要用完，第二天再準備即可。基本上這個做法是分散工作量，只要不是在一天內預備全部的食材，都會比較省力。

如果家裡冰箱的冷凍庫不夠大，無法貯存一整個禮拜的食材，可以改成一次準備三、四天的分量，就不會太占冷凍庫的空間。

＊每天現做當天的食物泥（適合天天開伙、方便上菜市場的媽媽）

如果家裡有開伙，而且開伙使用的食材和食物泥使用的食材差不多，可能會覺得每天現煮食物泥反而方便。將一天份的食材蒸熟或煮熟，綠色葉菜可以等其他食材快煮熟時，再加進去一兩分鐘蒸熟即可，不要一起煮太久，免得煮太爛破壞營養。將煮熟的食材放進調理機，加入適量的飲用水打成泥，最後再加香蕉調味，然後分成三份。

＊一次做好一週的食物泥（適合每週能空出一整天時間的媽媽）

如果每週有辦法空出一整天的時間專心做食物泥，而且一次做好一週的分量，就不用每天攪拌一次食物泥、清洗一次調理機和大大小小的容器，有些人會覺得天天重覆做這些事很麻煩，我自己有時候也會覺得天天做有點煩。

如果想一次做一週的食物泥，可以空出一天的時間，煮好各樣食材——飯、地瓜、雞肉、米豆和蔬菜，香蕉要事先買好一週的分量，算好在做食物泥那天會夠熟夠甜。

接下來按照比例，一次打一天的分量，分成三盒。重覆七次，打好後一共有二十一盒，除了三盒放冰箱冷藏室供接下來三餐食用，其他的要放冷凍庫，食用前一天再拿到冷藏室退冰。

我曾有幾個月的時間嘗試這個做法，雖然不用每天打一次食物泥，不用每天洗很多容器，但做食物泥的那天會太忙太累，無法再做其他的事，衡量之下，還是回到上述第一種做法。如果覺得一次做一週的分量太累，也可以改成一次做三天的分量。總而言之，選擇適合自己的方式眞的很重要，做媽媽的不要把自己弄得太累，才會有精神和體力享受育兒的喜樂。

多久買一次香蕉？

目前我是直接用新鮮的熟香蕉打食物泥，沒有先打成泥放冷凍庫，因爲我要做雙份的食物泥，冷凍庫的空間不太夠用。冬天的香蕉不容易熟，我會一次買一整個禮拜的分量，夏天的香蕉容易熟，我大概一個禮拜買兩三次。雖然冬天時一次就買一週分量的香蕉，但用到最後通常會熟到爛。如果擔心香蕉太爛，我會放冰箱冷藏一下，但如果需要冷藏兩天以上，我會乾脆打成泥放容器中冷凍，因爲熟香蕉冷藏時，皮會變黑，果肉會變爛，有點噁心。當冬天氣溫較高、攝氏二十幾度以上時，香蕉比較快熟，我會改成一週買兩次香蕉，免得來不及用完就熟到爛。

基本上用新鮮的香蕉會比較麻煩一點，得算好什麼時候熟，一週可能要跑好幾趟市場，如果不想這麼麻煩，就一週只買一次，等香蕉熟了之後全部打成泥，分成七盒放冷凍庫比較省事，或者也可以將香蕉去皮，整條冷凍，不過這樣做會比較占空間。

自己做食物泥的媽媽經分享

1. 自製的食物泥營養豐富均衡，經濟實惠，健康又衛生，分子小好吸收，寶寶也愛吃。
2. 做食物泥的配備要齊全，工欲善其事，必先利其器。
3. 挑選新鮮的食材做食物泥，不添加人工調味料和油脂。
4. 選擇適合自己時間表的方式來做食物泥。

第七章

餵食物泥

餵寶寶吃食物泥比用奶瓶餵奶複雜許多，所以父母和寶寶都需要學習。對很多寶寶來說，這是第一次需要面對訓練和管教的問題。

「哇！你的寶寶一餐可以吃這麼多啊？好吃嗎？」很多人看見我們的寶寶吃食物泥，都會這樣問。「你要不要吃吃看？」我會立刻奉上一口請他們嘗嘗，沒想到很多人眞的勇氣可嘉，勇於嘗試，而且嘗過之後，大都覺得香蕉味很香，還挺好吃的呢！

寶寶多大可以開始吃食物泥？

寶寶大約三、四個月大時會開始流口水，這表示他的腸胃可以開始消化一些天然的食物，這時可以開始給寶寶嘗試食物泥。**剛開始時**，一**次只試四分之一小匙，就是一小口的分量**。我們大約是從寶寶四個月大時才開始嘗試，三個月的寶寶很小，實行起來有些困難，爸媽可視寶寶的情況來決定，不見得要從三個月大就開始嘗試食物泥。

什麼時段餵食物泥？

剛開始嘗試餵食物泥的階段，如果每天餵奶次數超過三次，可挑選白天的三次餵奶時間加餵食物泥即可，不必每餐都餵。

餵食物泥的配備

＊餵食用的保鮮盒：挑選可密封、可微波、可冷凍的容器，容量至少五百毫升，以圓形容器爲佳，比較容易用湯匙刮乾淨。

＊餵食的湯匙：剛開始用小支的湯匙，不要太淺，適應後可改用較大的湯匙。

＊兒童餐椅：選深一點的座椅，寶寶坐上去後比較不會東倒西歪。**讓孩子坐在兒童餐椅上吃飯很重要，可以幫助孩子吃飯時不亂跑**。

＊防水圍兜：我用的是美國品牌Bumkins的防水圍兜，材質摸起來又軟又薄，像塑膠布，很容易清洗。台灣也有網站有賣，只是價格不低，每條要

三百多元，但確實好用，也可以用很久。

*擦嘴用的紗布手帕：手帕弄濕後擰乾，如果寶寶吃得滿臉，可以用手帕幫他擦乾淨。手帕比較薄比較小，用完後用清水搓乾淨，擰乾後掛起來很快就可晾乾，每隔幾天丟洗衣機洗一次就行了。寶寶剛學吃食物泥時，很容易弄得滿臉都是，有時吃一餐得用到兩三條手帕，或是洗兩三次手帕。

餵食物泥的姿勢

六個月以下的寶寶如果還不會坐，可以用瓶餵的姿勢餵食物泥。餵的時候，假設是慣用右手的人，就讓寶寶的頭靠在我們的左手臂上，把寶寶的右手夾放在我們背後，用我們的左手肘輕輕按住寶寶的左手，然後大人的左手拿盛食物泥的容器，用右手餵食。寶寶會坐之後，就把他放在兒童餐椅上餵食物泥。

連試三天新食物

每次給寶寶試新的、沒吃過的食物時，要連試三天，看看有沒有異常反應。如果反應正常，可以加入另一種食物再試三天。如果有異常反應要先暫停食用，過一段時間後再試。如果寶寶對某樣食物一直有異常反應，比如拉肚子、脹氣、嘔吐、出疹子、哭鬧不停等等，也許是對那樣食物過敏。這個方法特別適合有過敏體質的寶寶，因為很容易測出他對什麼食物過敏。

食物泥要夠甜

母奶和配方奶都是甜的，**剛開始餵食物泥時，食物泥要做得夠甜**，寶寶才會肯吃，用熟香蕉調味是最佳的選擇。

先餵奶還是先餵食物泥？

餵母奶的嬰兒先餵母奶，再餵食物泥。餵配方奶的嬰兒先餵食物泥，再餵配方奶。餵完母奶後，緊接著就餵食物泥，或是餵完食物泥後，緊接著就餵配方奶。

剛開始餵食物泥的兩三週

在寶寶大約三、四個月大時，我們除了會在配方奶中加入嬰兒米精補充營養，也會開始每天三次給寶寶一小口食物泥練習吞嚥。有些人拿配方奶加嬰兒米精調成糊狀，用湯匙餵給寶寶吃，我自己試過，總是沒辦法調到很柔順的口感，所以我一開始都是使用香蕉泥，口感柔順，而且很甜，寶寶比較容易接受。

剛開始餵時必須很有耐心，因爲寶寶還不會用湯匙吃東西，也不會吞嚥，甚至會有一點害怕。我們的經驗是，寶寶大多會用舌頭把食物頂出來，反應激烈的寶寶則會大哭，甚至反抗。**這是一個訓練和練習的階段，做父母的必須很有耐心，如果覺得壓力太大，可以休息幾天再重新開始**，如果還是不行，等幾個禮拜後再重新來過，沒有必要把自己和寶寶弄得關係緊張、筋疲力盡。我們家老大快滿四個月時開始試餵食物泥，每次餵都會大哭，後來我們就休兵幾個禮拜再重新開始，果然情況改善許多了。

剛開始的階段因爲每次只吃一小口香蕉泥，我每天會準備一根新鮮的熟香蕉，先剝開一小部分，用湯匙刮四分之一小匙下來餵給寶寶吃。下一餐再剝開一小部分，以此類推。寶寶學習呑嚥期間，我會一直用香蕉泥給他練習，因爲香蕉泥最甜，最容易入口。

學會呑嚥後加入第一種蔬菜：胡蘿蔔

等寶寶學會呑嚥食物泥之後，我們就漸漸增加香蕉泥的分量，從剛開始的一小口，增加到兩小口，三小口……等到寶寶可以吃十毫升左右（大約三小匙）的香蕉泥時，我就會用調理機把香蕉打成泥（不加水，打到柔順的口感），放進製冰盒，凍成一個個的冰塊，每天晚上從冷凍庫拿出第二天需要的分量，放在冰箱的冷藏室退冰，第二天在餵食前，取出一餐的分量用微波爐加熱幾秒或隔水加熱，攪拌均勻後餵食。當寶寶一餐可以吃到一大匙（十五毫升）的香蕉泥之後，我們就開始在香蕉泥中加進其他的食物。

接下來我通常會嘗試胡蘿蔔泥，胡蘿蔔去皮切片，加少量水煮熟（約三分鐘），然後用調理機打成泥（水要夠才打得動），製成冰塊。我們每次給寶寶嘗試新的食物時，都是添加在他已經肯吃的食物泥中。比如他已經可以吃一大匙的香蕉泥後，我們就加入四分之一小匙的胡蘿蔔泥，讓寶寶適應新的味道。如果寶寶不喜歡，可以增加香蕉泥的分量或減少胡蘿蔔泥的分量。我們的寶寶如果已經可以吃下一大匙的香蕉泥，那麼加入一小匙的胡蘿蔔泥後，他通常也能夠接受。

每次加入一樣新食物，可以連續試三天，讓寶寶適應味道，也順便看寶寶能不能消化和吸收，會不會產生異常反應。如果有不良的反應，比如明顯的拉肚子、脹氣、嘔吐、出疹子、哭鬧不停等，就暫停餵這樣食物，改試別種食物，過一陣子後再重新試看看。如果試了很多次都不行，也許寶寶就是對那樣食物過敏，可以記錄下來，供日後參考。

有些食物的胡蘿蔔素含量豐富，吃太多皮膚會變黃但對身體無害，像是胡蘿蔔、南瓜、木瓜、橘子、柳丁等，如果介意，只要適量使用即可。

加入第二種蔬菜：高麗菜

當香蕉泥和胡蘿蔔泥加起來每餐可以吃三十毫升時（兩大匙），我會再加入高麗菜泥。同樣的，在鍋中加入少許水將菜蒸軟後打成泥，凍成冰塊，每天晚上拿出隔天需要的分量，放在冰箱的冷藏室退冰。第二天早上，將九十毫升的香蕉泥（大約是一條香蕉，三個冰塊的分量）、一小匙胡蘿蔔泥和一小匙高麗菜泥拌勻，分成三份，放在可微波的保鮮盒中冷藏。每餐取出一份，用微波爐加熱幾秒或隔水加熱，攪拌均勻後餵食。

寶寶如果願意吃，可以漸漸增加分量，每次加入新的食物或增加分量時，調好食物泥後大人都要先嘗嘗看，一定要夠甜才行。將來等寶寶適應食物泥的口味後，可以稍微減低甜度，但要以寶寶能接受的甜度為主。

加入澱粉類：胚芽米飯、地瓜

等香蕉泥、胡蘿蔔泥和高麗菜泥加起來每餐可以吃六十毫升左右時，我會開始加入澱粉類，我剛開始是用胚芽米，因爲我顧慮到糙米的纖維對寶寶來說也許多了點，而白米是精製澱粉，營養成分低，纖維少，所以我折衷採用胚芽米。等寶寶適應胚芽米飯後，我會改爲糙米飯，並且逐漸嘗試其他澱粉類食物，如地瓜或馬鈴薯。

在寶寶尚未斷奶的階段，我會將胚芽米飯分裝在小容器中（大約一百毫升）冷凍貯存。每天晚上拿出一盒，放在冰箱的冷藏室退冰。隔天早上，把飯加入接近等量的飲用水打成柔順的飯泥，水量多少要自己試試看，將飯泥放在容器中冷藏，每次取需要的分量使用。我不把飯打成泥來冷凍是因爲飯泥冷凍後很硬，很難退冰，所以我都是打成泥後冷藏兩三天，要用時直接取用。

我每天會準備三餐的分量，然後放冷藏，我覺得這樣比較新鮮。所以我每天在固定時段準備三份食物泥時，就把大約一二〇毫升的香蕉泥（四個冰塊）、三十毫升的胡蘿蔔泥（一個冰塊）、三十毫升的高麗菜泥和三十毫升的胚芽米飯泥，用調理機攪拌均勻（如果太稠可以加飲用水），分成三份（一份大約七十毫升），放保鮮盒。

寶寶如果願意吃，就漸漸增加飯的分量，但要確定夠甜。這個階段仍在幫助寶寶適應香噴和食物泥的味道，所以還不用按照嚴格的食物比例來調配食物泥，最重要的是要好吃，要夠甜。

澱粉類的食物還可以試試地瓜，因爲地瓜甜，寶寶會喜歡（有些寶寶吃地瓜容易脹氣，可以留意一下）。烤好的地瓜可以切塊冷凍保存，不用打成泥冷凍，前一天晚上取需要的分量放在冷藏室退冰，第二天打食物泥時，就在香蕉泥、蔬菜泥和飯泥中加入退冰的地瓜塊一起打勻即可，如果太稠打不動，可以加點飲用水。

加入動物性蛋白質：蛋黃、雞胸肉

當寶寶適應吃香蕉泥、蔬菜泥、地瓜泥和飯泥後，食物泥中的營養有了澱粉類、蔬菜類和水果類，再來可以嘗試動物性蛋白質——蛋黃。每天攪拌三份食物泥時，可加入一顆煮熟的蛋黃，打的時候如果太稠可以加點飲用水。吃蛋黃沒問題後，再來可以試瘦肉，我是用雞胸肉，攪拌食物泥時，加一點雞胸肉塊，水量要增加才打得動。

加入植物性蛋白質：米豆

當寶寶的腸胃可以適應澱粉、蔬菜、水果和動物性蛋白質後，再來可以試植物性蛋白質——豆類，我是用米豆。先從一天一個冰塊的分量開始試，然後逐漸增加分量。一樣是在使用前一天放冷藏室退冰，然後每天打食物泥時，加入煮熟的米豆一起打，水量要增加，煮米豆的湯汁我會留下來使用。

斷奶後改吃食物泥

當寶寶已經可以從食物泥中攝取到各樣的營養時，就可以開始按照丹瑪醫師的比例調製食物泥（澱粉、蛋白質、蔬菜、水果的比例是三：三：二：二），這時其實已經很接近斷奶的階段了。**如果寶寶每餐可以吃至少二五〇毫升的食物泥，差不多就可以斷奶了**，根據我們的經驗，當寶寶可以吃這麼多食物泥時，他其實已經不想喝奶了。

斷奶後，寶寶的食量會越來越大，可按比例增加分量，我們家的寶寶到最後每餐可以吃五百毫升的食物泥，而且食物泥的內容大多固定，不常變換，但四個孩子都吃得津津有味。

我們不會在兩餐之間給孩子吃點心，因爲讓胃部排空很重要，眞要吃點心的話，也是飯後當甜點吃，這個做法可以幫助孩子在用餐時間的食慾不受影響。

根據我們帶四個孩子的經驗，**當每餐的食物泥吃到一百毫升時，每餐的喝奶量大約會減少六十毫升。當每餐的食物泥吃到兩百毫升時，每餐的喝奶量會減少大約一二〇毫升**。接下來食物泥越吃越多，喝奶量越來越少，很快的，當寶寶每餐食物泥可以吃至少二五〇毫升之後，大多不會想再喝奶了，這時就可以自然地斷奶。

斷奶後只餵食物泥，完全從天然的食物攝取營養，不再餵配方奶，一天吃三餐，到最後每餐可以吃五百毫升的食物泥，兩餐之間相隔五個半小時，中間不吃點心。

斷奶前改成一天吃三餐

我們家孩子滿四個月大後，都改成一天喝三次配方奶，兩餐的間隔是五個半小時，每餐喝二四〇毫升配方奶（加嬰兒米精），晚上連續睡十二個小時。老三和老四滿五個月才到我們家，當時他們是每四個小時餵一次奶，我們在一個禮拜內，幫他們調整到一天喝三次奶，並且開始訓練他們吞嚥食物泥。我們在開始給寶寶嘗食物泥、學習吞嚥之前，就已經很固定地一天只餵三餐配方奶（加嬰兒米精）。

經驗談　訓練寶寶吃食物泥和斷奶

老大：

四個月　第一次嘗試餵食物泥，她非常抗拒，我們就休兵兩個月。

六個月　換較大嬰兒奶粉，結果拉肚子，導致尿布疹，我們等尿布疹好了才重新開始給她試食物泥。第一次餵她吃了點地瓜泥加胡蘿蔔泥，她吃了，接下來幾天越吃越多。

七個月 每餐開始固定吃點食物泥，大便非常正常，之前容易便秘。

九個月 想斷奶卻斷不了，因爲寶寶吃進的食物泥量一直不夠多，後來打電話到美國問丹瑪醫師，她提醒我們，應該先餵食物泥，再餵配方奶。

我們家老大每次吃飯前都會哭得驚天動地，所以明知應該先餵食物泥再餵配方奶，我們卻因爲受不了她的哭聲而妥協，可是她先喝了配方奶後，吃下的食物泥量就很有限，一直無法斷奶。

經丹瑪醫師一提醒，我們隔天立刻調換順序，結果寶寶吃完食物泥後，不再吵著喝奶，從此就斷奶了，體重的成長曲線都正常，到最後每餐可吃五百多毫升的食物泥。

老二：

四個月 一天喝三次奶，每次二四〇毫升（加嬰兒米精）。開始給她試食物泥。

五個月十七天 每餐吃一百毫升食物泥，一八〇毫升配方奶。

五個月二十五天　每餐吃一五〇毫升食物泥，一五〇毫升配方奶。

五個月二十六天　每餐吃兩百毫升食物泥，晚餐吃完食物泥後喝一二〇毫升配方奶。

五個月二十八天　完全斷奶，三餐只吃食物泥，每餐三百毫升。

七個月　每餐吃四百毫升食物泥，後來增加到將近五百毫升。

老三：

老三來我們家時是五個月大，剛開始每天餵五次奶，第五天調整爲每天餵四次奶，第七天調整爲每天餵三次奶。第三週，開始嘗試食物泥。第五週，每餐吃兩百毫升食物泥，一二〇毫升配方奶。第六週，六個月大，每餐吃三百毫升食物泥，自然斷奶。

老四：

老四來我們家時是五個月大，當天餵四次奶，第二天改成一天餵三次奶，幾天後開始嘗試食物泥。來我們家一週內，每餐可吃一百毫升食物泥，一五〇毫升配方奶。兩週後，每餐可吃三百毫升食物泥，自然地斷奶。

老三和老四來我們家時已經五個月大，是比較成熟的寶寶，一開始嘗試食物泥，就適應得很好，而且在短短的時間內食物泥越吃越多。我們並沒有一定要寶寶吃多少，只是看他們願意吃多少就給多少，結果很令人驚訝，這兩個寶寶來我們家一個月內就可以自然地斷奶。

吃食物泥改善便秘

我們家老大、老二和老四在喝配方奶的階段，都有便秘的情形，後來開始吃食物泥後，就有明顯的改善。**寶寶便秘時，只要在食物泥中增加膳食纖維，就很容易解決。**我都是用地瓜葉，效果非常明顯，不過地瓜葉的味道較重，剛開始不要放太多，等寶寶習慣地瓜葉的味道後，若有必要可再增加分量。寶寶如果軟便，就不要在食物泥中放地瓜葉，而且香蕉的分量可以減少，減少的部分改用蘋果取代。

我們家的寶寶在斷奶全部改吃食物泥後，剛開始很容易一天排便三、四次，可能是膳食纖維較多或米豆的關係，但都是正常的大便，然後漸漸的減少到一天排便一兩次。

寶寶為什麼不想吃食物泥？

我們家四個孩子都沒有厭食物泥的情形，都是百吃不膩，直到我們覺得可以停才停，而不是他們不想吃才停。如果寶寶不喜歡吃食物泥，我想到幾個可能的原因：一、**食物泥不夠甜**，寶寶覺得不好吃，所以給寶寶吃食物泥之前，大人可以先嘗嘗看；二、**寶寶不餓**，不餓可能是兩餐之間吃了點心，或是已經吃了很多桌上的食物，尤其是肉類這種容易飽的蛋白質食物；三、**寶寶怕吃食物泥**，因爲常常爲了吃食物泥有不愉快的經驗，所以大人餵寶寶吃食物泥時，要有耐心，盡量保持愉快的氣氛。

開心餵食物泥

餵寶寶吃食物泥比用奶瓶餵奶複雜許多，所以父母和寶寶都需要學習。對很多寶寶來說，這是第一次需要面對訓練和管教的問題。當父母正要把一匙食物泥送進寶寶口中時，寶寶卻把手指送進嘴巴吮個不停，或是伸手抓湯匙，或是大哭，或是四處轉頭亂看，這種種狀況都會讓餵食物泥變成一件艱難的任務。

訓練寶寶合作時，務必記住一件重要的事，就是**我們的態度要保持愉快和鎮定**，不管寶寶需要花多長的時間才能學會乖乖吃食物泥，我們都要一直鼓勵他，在整個過程中開開心心的。

當然這通常是知易行難，我們做父母的，有時難免會失去耐心，生寶寶的氣，使得餵食物泥的時候，氣氛變得緊張、對立又不愉快，雙方都不舒服。當這種情況發生時，父母務必要及時煞車，停止對立，要記得寶寶還很小，很多事還不懂，這時可以深呼吸一下，然後帶著笑容，用溫柔的聲音對寶寶說：「對不起，媽媽剛剛發了脾氣，我現在好了。」幫助寶寶安靜下來，如果餵不完，至少再餵兩三口，總要在愉快的氣氛下結束用餐，否則寶寶會開始把吃食物泥的時間，和不愉快的感覺聯想在一起。

要記住，**強迫寶寶吃食物泥是不對的**，現在逞一時之快，日後一定會後悔。若不得已，寧願讓寶寶這餐吃少一點，但心情仍然愉快，到了下一餐時飢腸轆轆，也不要寶寶這餐吃光光，但是心裡很受傷。父母在餵食物泥這件事上要慢慢來，控制好自己的情緒，才能克服種種困難，開始和寶寶合作無間。加油！

成功訓練寶寶吃食物泥的訣竅

＊**排除會讓寶寶分心的因素：**尤其是寶寶還在學習吃食物泥的階段，務必要排除各種會讓寶寶分心的因素，比如關掉電視或音樂，換到另外一個房間餵，請家人不要待在寶寶的視線範圍等等。把吃食物泥這件事變得單純一點，寶寶會比較快學會。

＊**一次只處理一種狀況：**父母剛開始可能會想訓練寶寶做某些動作或不要做某些動作，但這個階段的寶寶，理解力有限，所以爲了避免混淆寶寶，應該一次只處理一種狀況就好。先從寶寶最容易懂的事開始，比如吮手指，可能要經過好幾餐的訓練，寶寶才會明白吃食物泥的時候不可以吮手指。只要父母有耐心，持之以恆地訓練，寶寶最後一定會懂，然後就可以處理下一種狀況，以此類推。

＊**避免一時之便：**盡可能避免爲了一時之便而使用一些方法，雖然一時之間

有效，但你不會想要在接下來吃食物泥的這兩年期間，餐餐這樣做。比如拿圖畫書給寶寶看，逗他開心，然後趁他心情好時趕快塞一口食物泥進去。現在這樣做也許有用，但如果他養成了習慣（你會很訝異寶寶這麼快就能養成一個習慣），日後你會發現自己必須辛苦地幫助他戒掉這些習慣。所以**你要很確定，你現在用來幫助寶寶吃食物泥的方法，你不會介意未來這兩千多餐的食物泥，餐餐都這樣做**。

每餐要花多少時間餵食物泥？

一旦訓練寶寶學會吃食物泥，餵食物泥的速度其實是由孩子決定，孩子想吃快一點，你就餵快一點，有些孩子甚至會因爲爸媽餵食物泥的動作太慢而急哭了呢，眞叫人哭笑不得。我們家四個孩子全都在十分鐘內，就可以解決五百毫升的食物泥，所以在孩子吃食物泥的期間，餵他們吃飯很容易，很輕鬆，主要的辛苦是在做食物泥的過程上。

食物泥如何加熱？

每餐要餵寶寶吃食物泥時，就從冰箱冷藏室拿出一份已退冰的食物泥，先**加熱到攝氏六十度左右再餵**，可用手試試溫度。

加熱食物泥有兩種方式：第一種方式是用微波爐加熱，加熱完一定要攪拌均勻再餵，如果不夠熱，就再繼續加熱。第二種方式是隔水加熱，拿一個小平底鍋把水煮沸後熄火，將食物泥盛在不鏽鋼的容器或瓷碗中，放進鍋中的熱水，不斷攪拌，直到溫度合適爲止。冬天時如果水溫變冷，無法將食物泥加熱到合適的溫度，可以中途把容器拿出來，再度將水煮沸，熄火，然後重來一遍。

食物泥的保存期限

剛打好的食物泥，如果放冷藏，我通常會在三十個小時內用掉，以保新鮮。冷凍的食物泥，我通常會在一週內用掉。從冷凍庫拿出來到冷藏室退冰後，我通常會在二十四個小時內用掉。已經加熱過的食物泥，如果沒有吃完，我會直接丟棄。

寶寶吃食物泥要吃到多大？

吃到至少兩歲，要等牙齒長齊了再斷食物泥，不見得要等大臼齒長出來，像我們家老大的大臼齒遲遲沒有長出，眼看著妹妹就要到我們家來了，我們就在她兩歲半時，讓她斷食物泥，開始吃正常食物。

練習咀嚼與學習餐桌禮儀

當寶寶一歲半左右，長出許多牙齒之後，我們會開始在大人用餐的時間，給他餐桌上一些容易咀嚼的食物來練習咀嚼。我們用餐的時間有時在孩子吃食物泥之前，有時在吃食物泥之後，我們不會給很多，主要就是練習咀嚼而已，孩子主要的營養來源仍是食物泥。

我們會準備鋼碗或塑膠碗、叉子或湯匙，讓孩子自己練習吃東西，等到要斷食物泥的時候，孩子就可以自己吃飯，不需要大人餵，這樣不但大人輕鬆，孩子也可以學習獨立。我們家三、四歲以下的孩子吃飯時，一定是坐在兒童餐椅上，這樣他們不會亂跑，我們也規定他們吃完飯才能下來，給孩子機會學習餐桌禮儀。

斷食物泥

斷食物泥是一個過程，不是說斷就斷，前面說過，當寶寶一歲半時，我們會開始給他機會練習咀嚼，很有意思的是，我們家的孩子都不會因爲吃了別的食物，就不肯吃他的食物泥，有時已經吃了半碗桌上的食物，接著仍然可以把四、五百毫升的食物泥吃完，而且吃得津津有味。當孩子的咀嚼能力越來越好，吃進去的正常食物越來越多，大概兩歲半就可以斷食物泥了。

餵食物泥的媽媽經分享

1. 準備好餵食物泥的基本配備，注意餵食的姿勢、態度和順序。
2. 寶寶大約四個月大時可以開始嘗試餵食物泥。
3. 採漸進式做法，寶寶會越吃越順，越吃越多，最後可以自然地斷奶，一天三餐只吃食物泥。
4. 把餵食物泥的時間，變成親子之間開心互動的時間。

第八章

帶食物泥外出

如果出門三個小時內要餵食物泥，就帶熱的食物泥出門；如果出門超過三個小時才要餵食物泥，就帶冷的食物泥出門，等到要餵之前再加熱，可以避免食物泥變質。

自己做嬰兒食物泥很棒，可以很放心，知道寶寶每餐吃的都是營養豐富又健康衛生的食物。可是遇到需要攜帶食物泥外出時，尤其是外出一整天甚至出去度假一兩個禮拜時，眞的就要考驗父母的創意了。外出或旅行時餵寶寶吃食物泥，有時眞是一個很大的挑戰，不過只要繼續往下讀，就會發現有志者事竟成，沒有什麼解決不了的問題喔！

帶食物泥出門的基本配備

帶食物泥出門有些不便，如果寶寶還沒斷奶，每餐吃的食物泥量不多，在一百多毫升以下的話，我會選擇外出那一餐不餵食物泥，沒有必要把自己弄得很累。如果寶寶吃的食物泥量很多，只要事先做好安排和準備，帶寶寶出門並且在外面餵食物泥，其實也不是一件不可能的任務。

常帶寶寶出門甚至出遠門的爸媽，視加熱的方式而定，可能會需要準備幾項配備：寬口保溫瓶、保溫保冷袋（有些嬰兒用品店有賣，如果不知道去哪裡買，可以上網買）、冰寶（可重複使用的環保冰塊，可上網買）、電湯匙（在沒有微波爐和熱開水可使用的地方，可以派上用場）。盡量挑保溫效果好的保溫瓶和保溫袋，我自己覺得容量五百毫升的寬口燜燒罐最好用，保溫保冷效果極佳，不會漏，寬口的設計方便直接餵食，不用再將食物泥倒進餵食的容器中。

保溫以三個小時為限

我的做法是，**如果出門三個小時內要餵食物泥，就帶熱的食物泥出門；如果出門超過三個小時才要餵食物泥，就帶冷的食物泥出門**，等到要餵之前再加熱，這個做法可以避免食物泥變質。

食物會變質是因爲滋生細菌，而細菌的滋生需要食物和潮濕條件的配合。**在攝氏五度以下和攝氏六十度以上的溫度，是屬於安全溫度區**，介於攝氏五度和攝氏六十度之間的溫度，是屬於危險溫度區。食物在危險溫度區滯留四個小時以上就有可能變質，最好丟棄。

經驗談　食物泥餿掉

幾年前有一次我們搭飛機，準備了兩餐食物泥，事先加熱好各裝在一個燜燒罐中。大約三個小時後餵第一餐時，食物泥聞起來很正常。但是八、九個小時後餵第二餐時，食物泥聞起來就有餿掉的味道，我只好倒掉，不敢給寶寶吃。

帶熱食物泥出門：放燜燒罐中保溫

平常餵寶寶喝奶是用攝氏六十度的熱開水沖泡奶粉，所以餵寶寶吃食物泥時，差不多也是將食物泥加熱到六十度左右。帶熱的食物泥出門時，先在家中將食物泥加熱到六十度以上（用手測試看看，一定要比平常餵食的溫度高），然後放在燜燒罐中保溫帶出門，這是爲了避免食物泥在保溫的過程中，降溫到六十度以下，滋生細菌。使用燜燒罐裝熱食物泥還有個好處，就是時間到了可以直接餵食，相當方便。如果嫌燜燒罐不好餵，可以另外攜帶餵食用的容器，到時候再把食物泥倒到容器中餵食。

帶冷食物泥出門：用微波爐加熱

如果出門三個小時以上（五個小時以內）才需要餵食物泥，就帶半退冰狀態的食物泥出門，等到要吃的時候再加熱。帶冷食物泥出門時，如果去的地方有微波爐可用，就簡單多了，這種情況下有兩種攜帶食物泥的方式：第一、將冷食物泥裝在可微波的餵食容器中，然後放在保冷袋中加冰寶冷藏；第二、將冷食物泥直接裝在燜燒罐中保冷。

如果冷食物泥是裝在可微波的容器中，餵食前直接將容器放進微波爐加熱即可。如果冷食物泥是裝在燜燒罐中，就先把冷食物泥倒進可微波的容器，然後將容器放進微波爐加熱。

無微波爐時，隔水加熱冷食物泥

如果去的地方沒有微波爐可用，必須隔水加熱的話，還要自備盛食物泥加熱的容器和盛熱開水的容器。餵食前將冷食物泥倒進鋼杯碗或瓷碗中，然後放在盛熱開水的容器中隔水加熱。如果去的地方沒有熱開水可使用，出門前得另外準備一個保溫瓶裝沸水備用，或帶幾瓶礦泉水和一支電湯匙。如果要用時熱水已經不夠熱，只要找得到插座，就可以用電湯匙將水加熱後再使用。

如果是用隔水加熱的方式，除了上述兩種攜帶冷食物泥的方式，還有另外兩種攜帶方式：一、將退冰的冷食物泥裝在母乳袋中，然後放在保冷袋中加冰寶冷藏；二、將冷食物泥裝在母乳袋中，然後放進燜燒罐中保冷（當然要放得進去才行，容量一五〇毫升左右的站立式母乳袋，應該可以放進五百毫升的燜燒罐。如果寶寶的食量大，就得多帶幾包食物泥。）如果怕保冷效果不夠好，可在燜燒罐內放些冰塊。

用母乳袋裝食物泥隔水加熱

如果裝食物泥的母乳袋是放在燜燒罐中保冷，可在餵食前半小時，先倒掉燜燒罐中保冷用的冰塊和冰水，將母乳袋留在燜燒罐中，然後把熱開水倒進燜燒罐，蓋上罐蓋，以隔水加熱的方式溫食物泥。如果使用容量二五〇毫升左右的大母乳袋，無法放在燜燒罐中加熱，就另外拿一個容器盛熱開水，把母乳袋放進熱開水中加熱。

在外過夜的食物泥保存法

如果要在外面過夜，需要攜帶好幾餐的食物泥，那麼隔天才要吃的食物泥，在家裡先不要放冷藏室退冰，等到出門時，把冷凍的食物泥放在保冷袋中加冰寶冷藏，到了住宿的地方先放進冰箱的冷凍庫，晚上再拿出隔天要吃的食物泥放冷藏室退冰。

如果需要在外過夜幾天，就事先做好幾天份的食物泥，放在冷凍庫中冷凍。基本上，如果外出的地方可用微波爐加熱，就用可微波的容器裝食物泥冷凍，如果必須隔水加熱，就用母乳袋裝食物泥冷凍。用母乳袋冷凍食物泥時，不用特別擠出空氣，免得袋子變得又寬又長，放不進燜燒罐中，但如果不需要放在燜燒罐中隔水加熱就沒關係。

攜帶食物泥搭飛機

飛機上不太可能有微波爐可以使用，但一定會有烤箱和熱開水。出門三個小時內要吃的食物泥，可先在家裡加熱放燜燒罐，時間到了直接餵食。出門超過三個小時才要吃的食物泥，退冰後裝在母乳袋中，放保冷袋加冰寶冷藏。

如果飛機上有微波爐可用，就將食物泥放在可微波的容器中加熱。如果飛機上沒有微波爐可用，還有兩種加熱食物泥的方式，第一是用烤箱加熱，可自備一個烤盤，將食物泥倒進烤盤中加熱，用烤箱加熱比較難控制溫度，需要不斷測試溫度。第二個方式是隔水加熱，把母乳袋放在燜燒罐中，跟空服員要熱開水倒進燜燒罐，蓋上罐蓋隔水加熱。如果寶寶吃的食物泥量很多，可能要加熱好幾袋，每加熱完一袋，就先倒入另外一個保溫瓶中，等全部加熱完畢再餵食。

餵食物泥前一個小時就可以開始準備加熱，加熱完放保溫瓶備用，這樣要餵時就不會手忙腳亂。如果母乳袋放不進燜燒罐，可自備一個耐熱的大容器，把母乳袋放進大容器中，然後注入熱開水加熱，加熱完將食物泥倒進餵食的容器中餵寶寶吃。

攜帶在飛機上吃的食物泥，頭兩餐需要先在家裡退冰，第三餐之後的食物泥，出門至少十個小時後才用得到，不用完全退冰，這樣比較能夠保持新鮮。**攜帶冷食物泥外出一定要額外增加保冷效果，最簡單的做法是放在保冷袋中加上冰寶**，但即便這樣，冰寶的保冷時間有限，冷凍的食物泥在保冷袋中會繼續退冰。

帶食物泥出國前須知

如果想攜帶自製的食物泥出國，需要先弄清楚當地海關允許攜帶什麼樣的食品入境，美國海關對食物的管制相當嚴格，不能攜帶魚肉蛋類（連熟的都不行）和生水果入境。我在這方面有過慘痛的經驗，在這裡跟讀者分享一下。

經驗談 白忙一場

去年我們去美國探親兩週，老三當時一歲三個月，已經斷奶，一天吃三餐食物泥，每餐約四五〇毫升。那次我們打算住在親戚家，但他們家沒有可將食物打成泥的調理機，行前我一直很擔心食物泥的問題，我不太希望在美國還要自己做食物泥，一方面不想攜帶笨重的調理機，一方面也想趁機休息一番，所以我就決定做好十六天份的食物泥，全部冷凍好，帶去美國。

我先生事先打了幾次電話到美國海關詢問，得到的結論是，可以帶這麼多的冷凍食物泥入境，但食材中不能有魚肉蛋類。於是我就放心地開始準備素食的食物泥，反正平常的食物泥中就有米豆，只要增加米豆的分量就是了，兩個禮拜光攝取植物性蛋白質應該還好。

一口氣做十六天份的食物泥是很大的挑戰，第一，我得花錢買容器，我買了十幾個一．四公升的樂扣保鮮盒，這種保鮮盒防漏性佳，一個容器可裝一天份的食物泥；第二，做十六天的分量是個大工程，要準備很多食材；第三，做好後得絞盡腦汁怎麼將全部的容器擠進冰箱的冷凍庫，還有家中其他需要冷凍的食物該怎麼處理，眞是傷腦筋。不過我總算是一一克服了。

再來是怎麼攜帶這些冷凍的食物泥出國，我買了兩個大的保溫袋，但是裝不下全部的食物泥，於是又買了一個大的保麗龍箱，還糊了一個紙箱保護外面。

眼看一切就緒，我覺得很興奮，這下子在美國可以輕鬆度個假了。

結果我先生又打了一次電話詢問美國海關，想再確認一次，這次卻發現，所有的食材都必須煮過。這下糟了，因爲我食材中的香蕉沒有煮過，海關說這樣不行。

最後的結果就是勞民傷財，不但花錢買那麼多容器用不上了，辛苦煮那麼多食物泥也帶不去了，眼看著冷凍庫塞得滿滿的，連要重新再做兩天的食物泥帶去應急都沒有空間可放。還好有朋友說她樂意接收我的食物泥，她的老四那時已經開始吃食物泥，我就給了她一半，留下一半回來時再給寶寶吃，這樣回來後就不用急著馬上做食物泥。

所以那次我們的行李箱就裝了一台笨重的調理機，還有一堆保鮮盒。雖然算盤沒打好，至少到了美國後，因爲住在親戚家可以開伙，所以可以自己做食物泥，算是不幸中的大幸吧。

出國時如何攜帶冷凍食物泥？

出國時可以把食物泥放在可微波的容器中冷凍，也可以把食物泥放在母乳袋中冷凍。如果在國外無法餐餐都使用微波爐加熱食物泥，就得將一些食物泥放在母乳袋中冷凍。

冷凍的食物泥可以裝在保溫袋中攜帶，也可以裝在保麗龍箱中攜帶，然後放在托運的行李箱中，因爲飛機的貨艙溫度低，食物泥比較不容易退冰。保麗龍箱的保溫保冷效果極佳，但是想達到最佳的保冷效果，就必須把保麗龍箱內的空間塞滿，可再塞幾塊冰寶增加保冷效果，不過如果食物泥的數量太多，可能會超過托運行李的重量，所以需要注意一下，若是會超重，可以分成兩箱。

到了當地，就將冷凍的食物泥放進冰箱的冷凍庫，若是住飯店，可商量看看能不能借用飯店的冷凍庫。每天將隔天要吃的食物泥拿到冰箱的冷藏室退冰，第二天如果有外出的行程，就按照前面講過的，外出攜帶食物泥的方法去做。

出國在外怎麼做食物泥？

如果是住在可開伙的親戚朋友家裡，那就不成問題。如果是住飯店，無法開伙，可在行李箱中攜帶一支電湯匙、一只鋼杯或小鍋子和一台短小輕便的調理機。

如果攜帶素的食物泥出國，但還是想給寶寶補充些動物性蛋白質，可在當地購買罐裝的嬰兒食品加進自製的食物泥，或是自己煮蛋用調理機打成蛋泥後加進食物泥。如果是住飯店，這時電湯匙就派上用場了，在小鋼杯或小鍋中倒入礦泉水，看是要做水煮蛋還是蛋花湯，煮好後打成蛋泥，加進食物泥給寶寶吃。我不建議用輕便型的調理機打肉泥，因爲肉比較硬，容易損壞機器，萬一故障了，那事先所有的計畫就泡湯了。

如果完全沒有自備食物泥帶出國，但在當地有辦法去超市買菜，那就可以每天煮一天份的食物泥。飯和米豆可以用燜燒罐煮，蔬菜和肉蛋類可以用一只小鍋子，以電湯匙烹煮。把全部食材加上香蕉打成泥，一天的食物泥就有著落了。

在外做食物泥是麻煩了點，但大部分時候還是有辦法。如果完全沒辦法自己準備食物泥，那最後的辦法就是花錢買現成的嬰兒食品囉，雖然比較貴，但畢竟可以省下許多時間、精神和體力，既然是出國去玩嘛，當然希望可以輕鬆一點。林奐均在二〇〇九年推出了「貝比福」，是按照百歲醫師的食譜製作的食物泥包，讓需要攜帶食物泥外出的父母多一項選擇。這種食物泥包可以直接在室溫下保存和攜帶，不需冷藏，餵食前隔水加熱，或是倒出來微波加熱，或是訓練寶寶吃室溫的食物，這樣就不用加熱。

帶食物泥外出的媽媽經分享

1. 想攜帶食物泥出門，保溫瓶、保溫袋和冰寶是最佳良伴。
2. 如果要放熱食物泥在保溫瓶中保溫，必須先加熱到攝氏六十度以上，保溫以三個小時為限，以免變質，滋生細菌。

3.加熱食物泥可用微波爐，也可隔水加熱，不同的加熱方式要準備不同的配備。

4.出門攜帶食物泥，甚至出國攜帶食物泥，都不是不可能的任務。

第九章

其他育兒經驗分享

回顧過去六年，我們發現在孩子的一生中，嬰兒時期反而是最容易照顧的階段，因為隨著孩子漸漸長大，管教的問題浮現，大大考驗著我們的愛心、耐心和智慧。

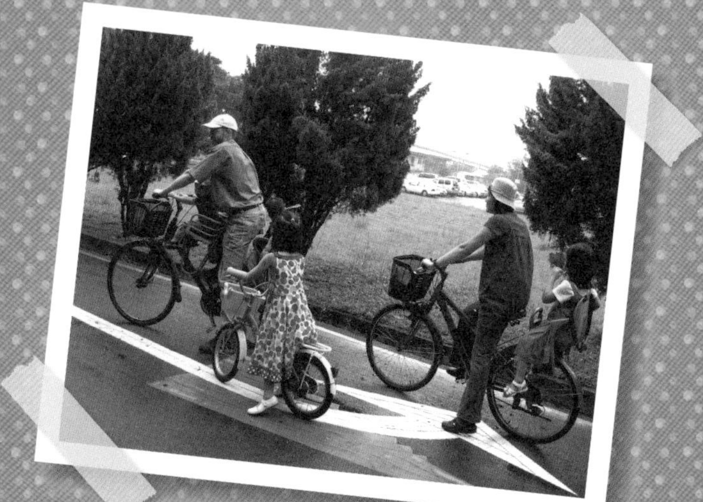

安撫奶嘴or吮手指？

丹瑪醫師不贊成使用安撫奶嘴，不但容易弄髒，有時臨時要用找不到眞會急死人。有些寶寶晚上吸著奶嘴上床睡覺，睡到一半奶嘴掉了就會哭，父母還得半夜起來幫寶寶塞奶嘴，不得安眠。

安撫奶嘴名副其實就是安撫用的，**如果讓寶寶吮手指，他可以自己決定什麼時候需要安撫自己，什麼時候不需要**。使用奶嘴的話，是大人在決定寶寶什麼時候需要安撫，寶寶無法自己做決定，我想即使是這麼小的一件事，都可以訓練寶寶獨立，讓他自己決定什麼時候需要安撫，讓他靠自己就能安撫自己。

很多人看見我們的孩子吮手指都大驚小怪，立刻喊髒，其實如果怕髒，常幫孩子洗手就好了。我們從未想過要幫孩子戒掉吮手指的習慣，總覺得順其自然就好，也許他們需要從吮手指中得到一些安慰或安全感。

❀尿布疹bye bye

我們家老大在六個月大時換較大嬰兒奶粉，結果腸胃不適應拉肚子，長了嚴重的尿布疹。我們聽從醫囑改用清水濕巾，同時也擦藥膏，但仍不見效果，看著寶寶不舒服，眞是令人心疼。後來我們決定**寶寶每次大便後，都把她抱到浴室用清水沖洗，然後仔細擦乾**，沒想到幾天之後，尿布疹就漸漸好了，從此我們就延續這個做法，老大再也沒有長過尿布疹。

後面三個孩子我們也這樣做，等寶寶會站以後，就盡可能在寶寶大便後，帶到浴室用清水沖洗，有時大便比較髒臭，就用溫和的香皂清洗。我們家老三有一次，老四也有一次，大便留在尿布上太久我們沒有察覺，結果長了尿布疹，但便後沖水的做法，讓尿布疹很快就痊癒，我很高興我們家的寶寶可以遠離尿布疹的折磨。

丹瑪醫師並不贊成在寶寶的屁股上擦爽身粉，有東西殘留在皮膚上並不好，她認爲用清水清洗最好。

如果寶寶每次大便都用清水沖洗，尿布也勤換，卻還是一直長尿布疹，也有可能是念珠菌感染，這時就需要看小兒科醫師。

好用的酵素沐浴劑

當我們還是新手父母時，有人介紹我們使用天然的酵素沐浴劑給寶寶洗澡。這種酵素沐浴劑是粉末狀，放一匙在溫水中給寶寶洗澡洗頭，洗好後不需要另外再沖水，非常方便，而且寶寶洗好澡後很香很乾淨，我們一試便成主顧，直到現在還繼續使用。照顧寶寶不容易，有很多事要顧到，如果能夠把一些事情簡化，可以幫助父母不至於忙得暈頭轉向。

讓寶寶的身體保持乾爽

我們會留意別給寶寶穿太多衣服以至於流汗，以保持身體乾爽爲原則，這樣寶寶會比較舒服。

想知道寶寶是不是太熱，可以摸他脖子後面的部位，如果流汗或有點黏黏

的，就是太熱。想知道寶寶是不是太冷，可以摸他的手腳，如果是溫的，那他就不會冷，如果手腳冰冷，那就是太冷。

在酷熱的夏天，我們家寶寶的房間，溫度大約設定在攝氏二十四到二十五度，不蓋被子（反正蓋了也會踢掉），我們家老大很怕熱，會再低一兩度。我們家老三是男生，在他五個月大時，我們去接他回家，當時照顧他的保母說，這個寶寶經常滿身汗味，不太好聞。我們帶他回家後，確實注意到他的汗味很重，跟兩個小姊姊又香又好聞的身體差很多。我猜他可能比較怕熱，但在那裡又穿得比較多，所以整天都很熱，結果就滿身大汗。

我一開始不敢馬上把他房間的溫度調太低，怕他一下子無法適應，會著涼。但是慢慢的，我把溫度越調越低，他的身體開始可以保持乾爽了，然後我發現，他也變成一個又香又好聞的寶寶了。我們家老四也跟哥哥有一樣的情形，從剛開始滿身汗味，不太好聞，後來也變成又香又好聞的寶寶，讓我總是忍不住親個不停。

嬰兒冬天睡覺如何保暖？

我們家的孩子在兩三歲之前，冬天睡覺都不是靠蓋被子保暖，因爲這個年齡的孩子一定會踢被，我們不可能半夜一直起來幫他蓋被。

我們的做法是給孩子穿Sleeper，這是一種長袖、包腳的鋪棉連身睡衣，非常保暖，就像穿毯子睡覺一樣。這種衣服在美國很普遍，在台灣也買得到。最好買拉鍊型的，從脖子下面一直到腳踝，穿脫比較方便。買的時候挑厚一點的布料會比較保暖。

冬天寒流來時，如果氣溫低於十八度，我們還會額外使用葉片式電暖爐，但不會火力全開，只開六百瓦的熱度，就能保持不錯的暖氣效果，除非臥室很大，那就要開強一點。我們會設定多次開關的時間，比如開三個小時後關兩個小時，然後再開三個小時，以此類推到早上。如果是十五度以下的低溫，就會整夜開著電暖爐，雖然只開六百瓦的熱度，還是可以使整個房間溫暖起來。

發燒與熱痙攣別慌張

我們從《寶寶發燒怎麼辦》（王英明醫師著）這本書中得知，發燒是病兆——疾病的症狀，不是病因——導致疾病的原因。孩子發燒時，我們會觀察他的活動力和反應是否異常，不會急著幫孩子退燒，因爲退燒只是在消除症狀，不能對症下藥。我們的小兒科醫師說，小孩子的身體面積小，散熱不夠快，發燒時很容易脫水，需要多補充水分。

我們家老大第一次發燒是十三個月大時，而且一燒就超過攝氏三十九度，那是我們第一次遇到孩子發燒，對發燒沒有太多的認識，就趕快送急診（晚上八點）。醫生給她吃退燒藥，第二天起來就沒事了，也沒有再發燒。那次的發燒有點莫名其妙，我們的小兒科醫生告訴我們，發燒時補充水分最有退燒效果，退燒藥只是暫時的。後來老大每次發燒幾乎都會到四十度，因爲沒有特別的異狀，我們只靠溫水澡和多喝水來幫助她退燒，每次都是第二天或第三天就退燒，只有得玫瑰疹那次，持續幾天早上退燒後，下午又發燒，直到疹子出現才完全退燒。

因爲老大的情況是這樣，我們遇到孩子發燒時，就不會自行用退燒藥，只是補充水分而已，但有時會忘記多補充水分，結果有一次發生了令我們驚嚇的狀況——熱痙攣。

有一天下午，當時一歲十個月的老三睡完午覺起來，全身發燙，一量體溫竟然高燒到三十九度，人看起來都正常。隔天早上起來退燒，我們鬆了一口氣，但到下午又高燒起來，甚至燒到四十度，他從來沒有燒這麼高過，我看他活動力還算正常，開始懷疑是不是玫瑰疹。

沒想到晚上六點多，他突然跌倒在地，全身僵直，手腳不斷抽搐，眼球上吊，無法言語，臉色發青。我先生抱著他，非常著急，一直叫他，然後叫我趕快打電話。我當時腦筋一片空白，一時反應不過來，問他要打給誰，他也急得說不出來，這時我才回過神來，想到應該打一一九求救。

感謝台北市的一一九大隊，服務專業又迅速，問了我們的狀況和地址後，馬上把電話交給護理人員，在電話上教我們怎麼立刻幫孩子降溫，而且她叫我電話不要掛斷，持續跟她報告現況，那親切和鎮靜的聲音，令我感到很溫暖。她在電話上教我**拿溫毛巾擦孩子的身體，緊急降溫，不要給孩子吃喝任何東西，讓孩子側躺以免嘔吐造成窒息**。

幾分鐘後孩子就停止抽搐，恢復意識，但對我們來說，這是非常漫長的幾分鐘。這時救護人員也趕到了，進來幫我們檢查孩子的狀況，然後我們決定坐救護車到醫院檢查。到了醫院，醫生給他打點滴補充水分，並且用了退燒塞劑，然後檢驗尿液，本來還要抽血檢驗，但是孩子血管太細，抽不到血只好作罷。醫生建議在醫院過夜，但兩個多小時後退燒，就讓我們帶他回家了。

那天晚上他沒再發燒，第二天沒有大礙，但晚上體溫又開始飆高，我們好緊張，趕快再幫他退燒。

後來孩子並沒有出玫瑰疹，但有一些感冒的症狀，流鼻水，咳嗽，不太嚴重。我們帶他去看平常信任的小兒科醫生，醫生推測是**第一天發高燒時，水分補充不夠多，所以第二天再度發高燒時，大腦承受不了，才會抽搐**。

整件事就這樣落幕了，我們從中學到很多常識，眞是不經一事不長一智。

原來單純由發燒引起的抽搐（熱痙攣）並沒有危險性，不會致命，幾分鐘內就會自動停止，父母不需過度擔心。可是老實說，一般人很少有這樣的常識和心理準備，第一次目睹熱痙攣的父母幾乎沒有不驚嚇過度的，無法想像那麼健康可愛的孩子，怎麼會一瞬間變成這個樣子，都以爲就要失去孩子了。

經過這件事，我們才仔細去研究發燒是怎麼一回事，先是上網搜尋資料，然後又買書回家研讀。做父母的確實需要對發燒有正確的認識，才不會平白受到驚嚇，甚至處理不當傷了孩子。我們對這點眞是感觸良多，這次因爲嚇壞了，第二天發燒時立刻給他退燒塞劑，但退燒塞劑屬侵入性藥物，應該非不得已時再使用，而且熱痙攣本身不會致病，只是一個症狀，不必過度擔心。下次遇到孩子發燒，我們一定不會忘記給他多喝水了。

熱痙攣是什麼？

有關發燒和熱痙攣，根據我們找到的資料，五歲以下的孩童比較容易發生熱痙攣，但只有極少數的孩童會眞正發生熱痙攣，**這類孩童的大腦對發燒的反應有較低的門檻，所以當他們發燒的度數高過這個門檻時，大腦無法負荷，孩**

子就會發生短暫的抽搐（痙攣）。這種痙攣唯一的危險性在於發生時，可能會因爲失去知覺而跌倒撞傷自己，另外就是在抽搐的時候，如果口中有東西，可能會噎到。除此之外，因發燒引起的抽搐（即熱痙攣）是無害的，兩三分鐘後就會結束，然後孩子會很累，需要好好睡一覺。

會令醫生擔心的是持續較久的熱痙攣，比如十五分鐘，若是這麼久，有可能是腦膜炎的症狀，那就非常危險。所以醫生都會建議，如果孩子是第一次發生熱痙攣，不管痙攣的時間多長，都要送到醫院檢查，好確定是不是腦膜炎，如果是，醫生就可以及時治療，挽救孩子的性命。不過大多數的痙攣只是單純的發燒引起，不必過於驚慌。

❀ 保溫袋的妙用

出門買生鮮類的食品，像是魚肉類，或是牛奶、益生菌、冰豆漿、美乃滋、奶油等等需要低溫冷藏或冷凍的食品時，可以隨身攜帶保溫袋和冰寶來冷藏，這樣買完之後，就不用急著趕回家放冰箱，可以氣定神閒地去逛街或買別的東西。我買魚肉類時，一定都會攜帶保溫袋和冰寶，想到從買完到回家這段時間，食物會腐壞得多快，我就不會忘記帶。

我們家的營養菜單

有孩子的生活是忙碌的，尤其像我們家有四個六歲以下的孩子，很多事情都需要一套固定的做法，讓生活可以簡化，比如作息時間固定等等。我們家每天都吃一樣的早餐，每天吃什麼午餐也都固定，星期一吃什麼，星期二吃什麼……全都有固定的菜單，久而久之，孩子不但都記住了，還會對午餐有一種期待的心情，比如老大或老二有時會問：「媽媽，今天是不是吃義大利麵？」或是問：「媽媽，明天是不是吃鮪魚三明治？」也因為這樣，孩子很快就學會分辨星期一到星期天呢。

我每週買兩次菜，買回來會先清洗、瀝乾、分類後裝保鮮盒放冰箱，做飯時只要從冰箱拿出食材切好後就可下鍋，所以做一頓飯大概只要花二、三十分鐘。照顧一家六口很累，不得不動腦筋，研究如何吃得營養健康又省事。以下想跟讀者分享一下我們家的三餐，或許可以給媽媽們一些靈感，幫助你更輕鬆地料理三餐。

我們家早餐的內容是果菜汁（只有爸媽喝，孩子直接吃水果），烤堅果（腰果、杏仁、南瓜子、葵瓜子、松子），全麥黑芝麻包，每週一三五會吃炒蛋。果菜汁是現打，堅果每週烤一次，放冰箱冷藏，黑芝麻包每週做一次，一半冷藏，一半冷凍，要吃前灑點水微波加熱或蒸一下即可。

我們家的午餐也吃得營養又健康，每週菜單固定：

星期一：蝦仁或鯛魚義大利麵，炒青花菜

我在有機店買到塘塘廚房做的冷凍義大利麵青醬和義大利麵紅醬，非常好吃。要煮的前一天放冷藏室退冰，第二天取一只小鍋子把義大利麵醬加熱，放蝦仁或鯛魚塊，然後澆在煮熟的義大利麵上，大人小孩都愛吃。

＊好吃的青花菜做法：

熱平底鍋，放薑片，放油，先爆出一點香味來。

將切好的青花菜放進鍋中排好。

灑一匙鹽。

澆上半杯過濾水。

蓋上鍋蓋燜煮八分鐘，中途攪拌一次。

星期二：糙米飯灑海苔香鬆，煎鮭魚，炒什錦蔬菜（白花菜、胡蘿蔔、新鮮香菇、杏鮑菇）

星期三：什錦排骨湯

四人份食譜如下：

材料：梅花排（十兩，先氽燙過）、番茄丁、洋蔥丁、竹筍（竹筍、大頭菜和白蘿蔔三選一，有竹筍的季節就用竹筍）、大白菜、貢丸、玉米、海帶芽、薑、蔥。

做法：

1.燜燒鍋放水，直接放入氽燙過的排骨、番茄丁、洋蔥丁、薑片、青蔥，放一大匙黃酒或米酒。

2.水滾後轉小火，煮十分鐘後把青蔥撈掉。

3.再十分鐘後，放貢丸、王米、竹筍或白蘿蔔，水滾後煮五分鐘。

4.放大頭菜、大白菜、海帶芽，水滾後即可熄火。

5.放鹽巴調味，然後放進燜燒容器。

早上煮好後放燜燒鍋，中午拿出來就可以吃。這一餐的營養豐富又均衡，澱粉類是玉米，蛋白質類是肉和貢丸，蔬菜類更是豐盛，尤其海帶芽是很健康的食物，加番茄和洋蔥是要讓湯頭更好喝。可以自己變換食材，放愛吃的東西進去。

星期四：鮪魚番茄三明治，炒四季豆、黑木耳、蘑菇

星期五：墨西哥菜Nachos（改良婆婆的食譜）

我們家的早餐和午餐都是經過精心設計，差不多從這兩餐就可以攝取到一天所需的營養，所以到了晚餐就隨便吃，奉行早午晚餐分量是三二一的原則，一天下來越吃越少，這樣晚上睡覺前可以讓胃輕鬆些。我的美國先生晚上吃自製全麥麵包做的花生醬果醬三明治，這是他從小吃到大的東西，百吃不膩。而我從小喜歡吃湯麵，所以我晚上就吃湯麵，有時自己煮，有時買外面，孩子通常會要求跟我吃一樣的東西，我就多準備一些分給他們吃。

總而言之，照顧四個孩子的生活確實挺忙挺累的，所以常常得動腦筋，要怎樣才會更省事（比如冬天時不用天天給孩子洗澡）。

✽一天內訓練孩子自己上廁所

我先生在美國的好朋友生了五個孩子，他們夫婦介紹一本訓練孩子自己上廁所的英文書給我們，書名叫《一天內訓練孩子自己上廁所》（***Toilet Training in Less Than a Day***，直譯）。我們利用一個下午用這套方法訓練老大，果然奏效。可惜後來用這套方法訓練老二時，一點都沒用，我們家老二是個很特別的孩子，她做什麼事都有自己的時間表。雖然用在老二身上無效，還是想跟讀者分享，也許可以派上用場。

我們是在老大兩歲半時訓練她自己上廁所尿尿，但從她兩歲起，我們就教她每次大便在尿布上後，要馬上告訴我們，這樣才不會壓得又扁又臭。如果她記得馬上告訴我們，我們會給她一個獎賞，一顆小小的M&M's巧克力。結果她很快就學會在大便之後告訴我們。

以下這套方法的原理是，**在短時間內讓孩子不斷地需要上廁所尿尿，經過兩三個小時密集的練習之後，孩子很快就可以學會分辨尿意來了，學會至少憋尿幾秒鐘，然後到廁所去尿尿，而不是尿在內褲上**。

我們剛開始準備了一個小的馬桶坐墊，但是無法固定，會滑動，孩子坐上去後會怕，後來就乾脆直接訓練孩子用大人的馬桶。

經驗談 訓練老大自己上廁所尿尿

訓練孩子自己上廁所需要準備的東西如下：很多條內褲（奶奶從美國寄來很多漂亮的內褲，剛好派上用場，孩子也很興奮可以穿漂亮的內褲了）、很多飲料、甜食。

＊**第一天**：我們空出一整個下午的時間專心訓練，一開始先對孩子說：「我們要教你自己上廁所，如果你想尿尿，就坐到馬桶上尿。」所以我們先教孩子學

會怎麼自己脫內褲，怎麼坐到馬桶上。

再來是一直灌孩子喝飲料，水或其他飲料都可以，只要孩子愛喝、肯喝就好，我們平常不太給她喝甜的飲料，但爲了這次的訓練，只好破例。

接下來拿一個計時器，每隔兩分鐘就對孩子說：「我們來檢查你的內褲是不是乾的。」如果是乾的，就大大誇獎她說：「是乾的耶，你好棒喔。」然後給她額外的獎賞，一顆小小的M&M's巧克力。接下來繼續給孩子喝飲料，也繼續重覆檢查和獎賞。

大約半小時後，尿意出現了，第一次就像洩洪一般，所以我們選在不怕濕的地板上訓練。剛開始孩子有些驚慌，我們就用平靜的口吻對她說：「你尿尿在內褲上了，來，我們去馬桶上尿尿。」我們帶她去坐在馬桶上，讓她知道應該尿尿在馬桶上才對。然後我們幫她換一條乾淨的內褲，把地板擦乾，繼續給她喝飲料，繼續每兩分鐘檢查一下內褲，如果是乾的，就繼續誇獎她：「是乾的耶，你好棒喔。」再給她額外的獎賞。

大約五分鐘後，尿意又來了，她這次有一點警覺，但還是來不及跑馬桶就直接尿在內褲上，我們仍用平靜的口吻對她說：「你尿尿在內褲上了，來，我們去馬桶上尿尿。」再度把她帶到馬桶上，讓她在尿尿和馬桶之間有強烈的聯想。

就這樣一直重覆同樣的動作，她在內褲上尿了四次之後，再來的兩次，她已經可以憋住，自己到馬桶上尿尿了。

我們那天下午四點半才臨時決定要訓練，大約花了三個半小時，孩子就明白尿意來時要去坐馬桶。那天晚上，她仍包著尿布上床，因爲喝了很多飲料。

*第二天：早上起來，尿布很濕。八點半時，她大便在內褲上。九點時，尿了一點在內褲上，然後憋住，到馬桶上尿完。十點上床小睡時沒有包尿布，兩個小時後醒來，內褲是乾的！起來後去馬桶上尿尿。

下午五點時，她尿了一點在內褲上，然後憋住，到馬桶上尿完。

當天晚上她上床睡覺時，沒有包尿布。

*第三天：早上醒來時，內褲是乾的，立刻帶她去廁所尿尿。早上十一點，大便在內褲上。

下午去阿姨家，不肯在她家上廁所，尿在內褲上。

晚上未包尿布上床，結果尿床。

***第四天**：早上去阿姨家，尿在內褲上。

午睡三小時，尿床。

下午再度花一個小時加強訓練。

四點半帶她出門買東西，在店裡廁所的馬桶尿尿。

五點回家，在家裡的馬桶尿尿。

晚上未包尿布上床。

***第五天**：早上醒來，內褲是乾的，立刻上廁所尿尿。

半小時後，在馬桶上大便。

午睡兩個半小時後起來，內褲是乾的，到馬桶上尿尿。

***第六天以後**：除了頭兩天大便在內褲上，後來就自動學會便意來時要坐在馬桶上大便。

***一週之後**：白天和晚上都不會尿濕內褲了，只有少數幾次例外，訓練老大自己上廁所終於大功告成。我們自己覺得，這套方法用在老大身上，非常順利和

成功，基本上就是利用密集的練習，幫助孩子在短時間內學會分辨尿意，並且會自己坐到馬桶上解決。

可惜後來套用在老二身上就沒轍了，雖然用同樣的方法訓練她分辨尿意，她就是一直學不會，我們覺得，她固執的個性似乎阻礙了她的學習能力。後來有一天她突然想坐在馬桶上尿尿，從此白天就不用再包尿布了。又經過很久之後，有一天她突然想坐在馬桶上大便，從此就不再大便在內褲上了。總而言之，訓練孩子自己大小便，眞的很需要耐心。

孩子，你們都是我的寶貝

我們每次要收養一個孩子，從決定收養、社工的家訪到帶寶寶回家，都會讓家中的孩子全程參與，他們都很清楚家裡將加入一個新的成員，也都很期待。

每個孩子都有他的特點，我們不會去比較孩子，也不會偏袒孩子，每個孩子一視同仁，一樣寶貝。這樣做似乎很有幫助，因爲我們家的孩子到目前爲止還沒有嫉妒的問題，他們會歡迎新的弟弟妹妹來到家中，享受多一個手足的熱鬧，不會嫉妒多一個人來爭寵。

❀比照顧嬰兒更費神的事

我們剛開始學習照顧嬰兒時，比較手忙腳亂，許多事需要摸索和學習，但上手後就覺得很輕鬆，而且半夜不用起來餵奶，也讓我們有充足的體力可以照顧孩子各方面的需要。不過回顧過去六年，我們發現在孩子的一生中，嬰兒時期反而是最容易照顧的階段，因爲隨著孩子漸漸長大，管教的問題浮現，大大考驗著我們的愛心、耐心和智慧。學園傳道會的婚姻諮商資深輔導員馮志梅老師有一張演講CD叫「怎樣愛你的孩子」，把愛和管教的道理講得淋漓透徹，聽她一席話，勝讀十年書，我強力推薦。

❀正視孩子行為背後的態度

我們吃到許多苦頭之後，才開始明白，原來**管教孩子時，是看他眞正的動機和態度，而不光是看行爲**。比如姊姊搶妹妹的玩具，這個行爲背後代表的也許是自私、不尊重他人，我們應該以孩子態度不正確的理由來管教，而不是只針對行為，這樣比較能夠解決問題的癥結。

但我必須承認，這很難做到，很多時候看見孩子的行為不對時，氣就上來了，不會去思考孩子那項行為背後的動機或原因。

再如，有時孩子會意外打翻飲料或打破東西，這是因為小孩子本來就不像大人那樣小心，肢體動作不像大人那麼協調，這是幼稚無知的舉動，不見得是故意使壞，這樣的情況並不適合管教。

總而言之，態度比行為更需要留意，如果父母能夠導正孩子的態度，孩子許多不良的行為就可以自然地改過來。

附錄

如果你想了解收養

爸爸騎著腳踏車，前面的籐椅載老三，後面的安全椅載老四，媽媽騎著腳踏車，後面的安全椅載老二，跟在媽媽後面的，是自己騎著腳踏車的老大，全家浩浩蕩蕩經過小公園。

迎面而來一個陌生人忍不住驚呼：「你們家到底有幾個孩子啊？」我們停下腳踏車。

「四個。」

「四個！你們好勇敢，生那麼多。」

「不是我們生的，都是收養的。」

「收養?!怎麼不自己生呢？」

「生不出來啊。」

上述場景是經常在我們生活中上演的一齣戲碼，每次看見別人驚訝的反應，都令我們莞爾。

很多第一次見面的人，知道我們家的孩子全是收養的之後，會表達出對收養的興趣，想對收養有更多的了解，有些人是自己想要知道，有些人是幫不孕的親朋好友詢問。他們想知道收養要多少錢？收養需要什麼條件？要去哪裡收養？要怎樣才能選到這麼可愛的孩子？他們的生父母是什麼樣的人？因爲這個緣故，我們才想要寫這章附錄，來解答一般人心中對收養的疑惑，並且幫助有興趣收養的夫婦了解整個收養的過程，進而採取行動決定要收養！

我們只是個正常的家庭

我們常會忘記自己的孩子是收養的，我們平常很少想到收養這件事，只有在跟別人談我們的家庭時才會想到。有些初次認識的人，知道我們家孩子是收養的之後，會問：「這兩個是姊妹嗎？」或是問：「這兩個是兄弟嗎？」我第一次聽到別人這樣問時，腦筋一時轉不過來，就回答說：「對啊，他們是兄弟。」然後我才恍然大悟，原來對方覺得我們的孩子長得很像，以爲是從同一個家庭收養的孩子，甚至有人誤以爲我們家兩個女兒是雙胞胎，也有人誤以爲我們家兩個兒子是雙胞胎。

在我們心目中，這些就是我們的孩子，就只是正常、活潑、像白紙般單純的孩子，每一個都渴望我們的愛，每一個都愛他們的爸爸媽媽，每一個都有許多潛力，都有許多尚未發掘的天分，他們就跟正常的孩子一樣，會笑，會哭，會擁抱，會親親，會高興，會鬧彆扭。

我們這六口之家，成員之間都沒有血緣關係，但我們跟別的家庭實在沒有什麼兩樣。我們常常看著自己的孩子，心想我們多麼有福氣，能夠擁有這麼棒的孩子。短短幾年前，我們還千方百計想要生兒育女卻求之不得，醫生也束手無策。但現在我們家的鞋架擺滿了鞋子，我們的大鞋旁邊擺著各種尺寸的小鞋，牆壁上掛了許多小外套，爸爸的大帽子旁邊也掛著許多小帽子，曾經寬敞、安靜和詳和的家，如今擠滿了人，一天到晚聽到笑聲，還有小腳丫跑來跑去傳出的拍撻拍撻響聲。那哭聲呢？當然也有！

決定收養，並且決定繼續收養，使我們的生活變得多彩多姿，生命變得更豐富，難以用筆墨形容。收養使我們的人生變得更有意義，帶給我們許多喜樂，並且讓我們把焦點從自己身上轉移到別人身上。

很多人知道我們收養了四個孩子之後，都很好奇，想要進一步了解收養，也許你也是一樣。

收養不如親生？

大多數的台灣人似乎無法接受收養，即使眞的收養了孩子，也覺得難以向人啓齒，也許收養意味著夫妻不孕，這當然不是一件光采的事。中國文化重視傳宗接代，收養的孩子無法在血緣上傳承，也許這也是很多人難以接受收養的一個原因。當別人乍聽我們的孩子是收養的，第一個反應往往是：「你們爲什麼不自己生？」我們聽了總覺得意思好像是——收養不如親生。其實每個孩子都是一個寶貴的生命，除了沒有血緣關係，除了沒有從自己的肚子出來，我們實在想不出親生和收養有什麼差別。

我們怎麼看收養？

二〇〇九年，台灣的生育率據說是全球最低，不孕的夫婦越來越多，未婚生子的情況很多，棄嬰也很多，針對這些問題，收養似乎是最明顯的解答。宜蘭羅東「神愛兒童之家」的院長夫人曾對我們說：**「不能生育不表示上帝不要給你們孩子。」**我們覺得**收養是一件美事，將沒有父母的孩子，送進想要孩子的家庭，**還有什麼組合比這個更完美？

正確的收養觀

收養的核心問題是身世告知，所謂身世告知就是讓養子女知道自己的身世，知道自己是被收養的，知道撫養他的父母並不是他親生的父母。想像一下，如果你收養了一個孩子，當你想到身世告知這件事時，可能會覺得太難了，你做不到，可是身世告知其實一點也不難！收養是一件好事，很多人不敢告知養子女的身世，主要是出於無知的恐懼，其實只要對身世告知有正確的認識和正確的態度，就一點都不難，根本不必害怕。

從悲劇到祝福

經過上課、準備文件、送件申請和家訪這個漫長的過程，等待終於結束，我們帶孩子回家了。接下來去法院出庭，等候裁定書和確定書，遷入戶籍，更改姓名，當整個收養手續完成後，我們生活的焦點，很自然的就轉移到家中擁有一個新成員的喜悅上。許多父母之前爲了得到一個孩子，耗盡心神，勞民傷財，結果仍一無所獲，所以在此刻特別覺得感動，覺得自己何其有幸能夠得到這個莫大的祝福——現在他變成我們的孩子了。因爲這個緣故，此刻很容易忘記另一頭的故事，很容易忘記這個莫大的祝福來自一個莫大的悲劇。

有一件事，收養父母應該謹記在心，那就是這個世界對每一件事應該怎麼做，都有其理所當然的看法——比如我們收養的這個孩子，其實應該由別人撫養長大才對，這個別人就是他的生父母。我們能夠得到這個孩子，享受這個祝福，原因只有一個——有個悲劇發生了，這個孩子的生父母無法撫養他。不管是因爲生父母已經過世或是無力撫養，這仍是個悲劇，因爲孩子由生父母撫養長大，由生父母疼愛，是一件天經地義的事。

所以從我們帶孩子回家那天起，他的生父母要面對的是一個悲劇，他們必須重新振作起來，繼續把日子過下去。但是我們這些收養父母，得到的是一輩子的祝福。那孩子呢？孩子得到什麼？他得到祝福，也得到悲劇。

我們這些收養父母有時會希望能夠忘記這悲劇的一面，繼續過自己的日子就好，但是我們的孩子沒有這個選擇，將來有一天，他會恍然大悟，原來愛他養他的父母，並不是他親生的父母。我們願不願意和孩子一同走過這條艱辛的道路？願不願意去了解孩子在明白自己的身世時，爲自己的身世感到悲哀的心情？我們願不願意在孩子向我們傾吐這份心事時，好好聽他說？我們願不願意放下自己的恐懼，容許自己去體會孩子的感受？我們願不願意陪孩子一起哭？

「我一直都知道」

我們在身世告知這件事上的目標是，**當我們的孩子長大後，他們不會記得**

什麼時候發現自己是被收養的，所以如果有人問：「你是什麼時候發現自己被收養的？你有沒有很震驚？」他們可以誠實地回答說：「我不記得是什麼時候知道的，從我有記憶起，我一直都知道自己是被收養的，所以沒什麼好震驚的。」

如果我們從小就不斷跟孩子談收養的事，隨著孩子漸漸長大，他會越來越明白收養的含意。當他終於明白收養是怎麼一回事時，心中可能會感到痛苦，我們不希望他必須獨自去面對這個痛苦，我們想要盡力幫助他走過這個過程。

越早告知孩子的身世越好，因爲對孩子的衝擊最小，他不會記得是什麼時候發現自己被收養，不會在知道的那一刻有一種天塌下來的感覺。

想像一下，如果你突然很意外地發現自己是被收養的，你會有什麼感受？想像你突然發現，拉拔你長大的父母並不是你的親生父母，你會有什麼感受？

我們都聽過像王建民這樣的故事，他一直到高中的時候才發現自己是被收養的，當時無法接受這個事實，差點不想再打棒球，後來經過家人的開導，心情才平復下來。對這樣的人來說，這件事會成爲他心中永遠的痛。

我們不希望孩子經歷到這種突如其來的驚嚇和打擊，以至於影響到他一生的幸福。

因爲身世告知這麼重要，所以我們相信，從一個人對身世告知的態度，最能看出他是不是已經準備好要收養孩子了。

早一點說，並且常常說

每個人遲早都會想知道自己是從哪裡來的，被收養的孩子也不例外。他們不是我們親生的孩子，但是我們收養他們，將他們視如己出。我們相信父母應該在孩子能夠聽懂一些話時，就盡早告知孩子的身世，並且根據他們能夠了解的程度，來決定說些什麼，每個階段說的話都不一樣。我們從一開始就向孩子坦白這件事，並且把握每個機會幫助他們明白收養是什麼。

我們盡量準備好可以隨時誠實並且用心地回答孩子的疑問，「身世告知」不只是一次而已，父母和孩子勢必會繼續有這方面的對話，我們相信這樣做會讓親子關係變得更深入、更緊密相連。

怎麼跟孩子說？

怎麼向兩三歲的孩子解釋收養呢？**可以用照片或用說故事的方式**。比如我們去孤兒院接老大時，在孤兒院照了幾張照片，我們就用這些照片告訴老大說：「你的生母生下你，但是不能自己照顧你，就把你交給我們照顧，讓我們做你的爸爸媽媽。你看這張照片是我們去孤兒院接你，你一直在睡覺，都沒有張開眼睛，後來還一路睡到家才醒來呢。」

我們家老大很喜歡聽這段故事，常要我們講當初去接她的情形，她一點都不覺得這是一件羞恥的事。

後來我們收養老二的過程，老大因爲全

程參與，就對收養有更進一步的了解。我先生畫了這張可愛的圖，描述我們一家三口去接老二回家的情景，我們用這張圖再度向老大解釋收養是怎麼一回事。

我們說左上角這個人是妹妹的生母，她生下寶寶，可是自己沒有辦法照顧寶寶，所以決定交給可以照顧這個寶寶和愛這個寶寶的家庭——就是我們！爲了幫助老大記得更清楚，我先生畫了我們搭飛機去的情景，最下面是我們去接妹妹，右上角是我們回來後，變成四口之家了。

除了這張畫，我們當初去接老二時，在旅途中照了一些照片，在機構初次見到老二時，也照了相，所以我們每次重看這些照片，都可以重新解釋一遍收養是什麼，讓孩子從小就習慣自己被收養的事實。

另外這張畫（如下頁圖）是描述我們去接老三回家的情景，我們用這張畫向老大和老二解釋收養是什麼（這次我們搭高鐵去）。

這張圖比較難畫一點，因爲要把那麼多人畫進去！首先左上角這個人是老三的生母，她懷孕時很難過，因爲她不知道孩子生下來後該怎麼照顧他，她連自己都照顧不了自己。那右上角這些人是誰呢？有一家人搭高鐵要去一個地方，咦，這不就是我們嗎？然後在左下角這裡，這個媽媽看到我們就很高興，因爲她找到一個可以照顧她寶貝孩子的家庭。右下角是我們家，剛剛增加了一個新成員，現在我們是五口之家了，而且每個人都笑容滿面。

等到帶老四回家時，我先生就沒再畫圖了，大概是因爲人太多，擠不進畫裡了。

怎麼跟孩子解釋生母是誰？

每次周遭有朋友懷孕，我們就把握機會叫孩子看孕婦的大肚子，告訴他們裡面有個寶寶，等寶寶長得夠大了，就會出來。寶寶從誰的肚子出來，那個人就是他的生母，所以雖然你不是從媽媽的肚子出來的，但我還是可以當

你的媽媽，還是可以愛你、照顧你。

收養的風險

也許你曾在新聞報導上或從朋友口中得知，某對夫婦想收養孩子，卻在收養過程中情感受創，到頭來仍然膝下無子。沒錯，就像前面提過的，孩子需要被收養是因爲有一樁悲劇發生了，當我們去接近這個悲劇，有時難免會被這樁悲劇所帶來的痛苦波及。

有些人會覺得整個收養過程太麻煩、太花時間，要準備那麼多證明文件來提出申請，要等那麼久，日後可能還要按照機構的要求，定期提供孩子的近況和照片。但是我們很樂意爲這個寶貴的孩子經歷這一切麻煩，甚至再多的麻煩也不在乎，因爲我們想要給這個孩子一個眞正的家庭，一個能夠愛他、照顧他的家庭。

其實大多數的收養過程都很順利，從新聞上聽到的失敗收養案例，都只是極少數的例子。雖然如此，收養仍有情感受創的風險，但人生中所有的眞感情不也是這樣嗎？收養也不例外。也許從下面這個角度來思考收養會有幫助：眼睜睜看著孩子處在水深火熱之中，我們會不會因爲怕自己被波及，就不肯伸出援手，任憑孩子受苦受難？

試養期

收養人務必要記住，當我們第一次帶孩子回家，在還沒有到法院出庭、還沒有收到法院的裁定書和確定書之前，收出養雙方都有權利改變主意，有些收養機構會稱這段期間爲試養期，試養期一般都要三到六個月。

就法律而言，我們收養人在試養期間並不是孩子的父母，只是代替生父母來照顧這個孩子而已。不管我們喜不喜歡，生父母也許會改變心意，決定自己撫養孩子。這對我們收養人來說，當然很難接受，因爲在照顧的過程中，我們很快就會愛上這個孩子。剛開始我們只是暫時的照顧者，但隨著日子一天天過去，我們越來越了解這個孩子，就會很自然地對孩子生出濃濃的父愛和母愛。

如果生父母改變主意，雖然我們收養人可能會很痛苦，可是這時最好的做法就是放手，祝福對方，希望他們接下這個大挑戰後，能夠好好地把孩子撫養長大。我們應該盡量把焦點放在孩子的利益上，而不是放在自己此刻的損失上。外面還有很多孩子需要家庭，我們必須振作起來，再試一次，並且爲過去這段照顧的期間感恩，因爲能有機會爲這個孩子帶來一點影響。

其實透過機構收養時，機構的社工通常會和生父母有許多溝通和輔導的機會，機構會評估生父母出養的意願，如果能夠進入試養期，大多數的生父母是不會改變主意的，那麼收養父母就要很感恩，因爲我們竟然能夠代替生父母來養育這個孩子。

收養常見的問題

每當我們跟別人談到收養，大家都會問到相同的問題，以下要回答幾個常見的問題。

問：眞的有必要讓我的孩子，在這麼小的年紀，就面對這麼沉重的事嗎？

或是問：我不能等他們長大後再告訴他們嗎？

或是問：我能不能永遠都不告訴他們？

答：會問這樣的問題，基本上是擔心知道身世對孩子來說是一件太痛苦的事，這樣想當然是出於好意——你想要保護孩子，不希望孩子痛苦。但有時候，經歷短暫有限的痛苦反而是好的，因爲這可以避免未來遭受更大的痛苦。

所以父母在身世告知這件事上，千萬不可感情用事，必須面對現實，想清楚。抱持下面這個想法會很有幫助：如果我們等他長大後，再告訴他被收養的事實，我們只能保護現在的他，不讓他現在感到痛苦，即使現在所面對的是輕微而且承受得住的痛苦；可是這樣做就不能保護到以後的他，反而會讓他以後要面對沉重甚至可能承受不住的痛苦。**眞正的愛和堅定不移的愛會牽著他的手，帶他走過現在短暫而輕微的痛苦，好讓他將來不必承受更大的痛苦**。

等他大一點再告知身世的另一個問題是，這會迫使我們欺騙孩子，要不是對他說謊（「沒錯，我是你的生母。」），就是從來不正面談他從哪裡來的問題，讓他很自然地以爲他跟別的孩子一樣，都是跟親生的父母在一起。但不管是哪一種，其實都是說謊。

可是**每一個孩子都需要能夠百分之百相信自己的父母，所以我們必須告訴孩子眞相**。我們不必一下子全盤托出，只要說出孩子能承受的部分就好，就算他還不懂也沒關係，如果我們想跟孩子維持一個健全的親子關係，就需要對他完全誠實。孩子需要能夠信任我們，他需要對我們有最大的信任，相信我們絕對不會對他說謊，絕對不會欺騙他。

如果我們眞的等到以後才告訴他身世，等他大一點的時候發現了（他遲早會發現，即使你決定永遠不告訴他），到時候對他會是雙重打擊。首先他會發現我們這些年來一直在欺騙他，再來是他必須突然毫無預警地去面對這個可怕的事實，很多時候這個事實還附帶一段不可告人的過去。

問：我應該怎麼說？好難開口向孩子告知身世。

答：沒錯，告知身世有可能很尷尬，而且你很可能永遠都不會覺得自己已經準備好可以說這種事。第一次開口總是有點可怕，想到要對孩子說：「你是我們收養的孩子」，就覺得難以啓齒，但就是因爲這樣，才要早一點開始講。當孩子兩三歲時，你告知他的身世，他很可能什麼也不懂，所以你講得好不好都沒關係，你可以把它當作練習，將來等他漸漸可以明白時，你就可以講得比較順暢，比較自在，也比較知道怎麼講最好。

重點是早一點開始這樣的對話，這是你和他一輩子都會有的對話，所以何不從現在就開始讓自己習慣這個對話？

問：如果我告訴孩子，說他是被收養的，他會不會就不愛我了？

答：如果你等他長大了才告訴他，他會覺得非常受傷，有可能從此破壞了你們之間的關係。可是你如果從他小的時候，就開始明智地幫助他面對這件事，他會因爲你這樣做而愛你，尊敬你，這反而會爲你們親子之間的關係打下穩固的根基。

問：等孩子到了十八歲會怎樣？他會不會去尋根，永遠離開我？

答：你不要怕孩子會跑掉，你只要愛他，盡最大的能力養育他，就可以爲你們之間建立起親密而良好的親子關係，即使他以後見到了親生的父母，你們的關係仍會持續一輩子。

問：生父母會不會來看孩子？

答：**透過機構的收養，生母不能直接和收養人接觸**，當她想了解孩子的近況時，必須到機構看收養人提供的報告、照片或影片。經過法院裁定的收養，生父母會失去所有的親權，也就沒有探視孩子的權利。

問：如果家裡有親生的孩子，又有收養的孩子呢？

答：我們家沒有這個問題，因爲四個孩子都是收養的，但我們有個朋友是這個情形，他是個小學校長，有兩個親生的孩子和一個收養的女兒。他說剛開始他親生的孩子因爲太小，不了解收養是什麼，對他們來說，這只是人生中很自然的一件事，甚至以爲所有的嬰兒都是從孤兒院來的，所以有時他們會說：「我們再去孤兒院抱一個寶寶回家！」

他們家每年都會慶祝一個叫「帶你回家」的日子，來慶祝他們帶養女回家的日子，他們在這天會特別慶祝一番。

我們的朋友說，身爲小學校長，他看過太多孩子了，就他所知，親生的子女和收養的子女一樣，在自我身分的認同上，問題一樣多。他強調說，最主要的問題不在收養，所以我們不該把所有的問題都歸咎於收養。他說，如果你忽略你的孩子，不管他們是親生的還是收養的，將來都會出問題。最重要的是父母現在就要誠實，一有問題出現就去面對和解決，親生子女的問題其實不會比養子女的問題少。

而且他**鼓勵父母要「慶祝孩子被收養」這件事，不要把收養視爲禁忌**。他說全家可以去拜訪養子女當初的所在地，也許是被收養前住過的地方，也許是出生地。

問：你們怎麼有辦法養這麼多孩子？

答：我們不打算送孩子上補習班和安親班，因爲我們自己可以教他們、照顧他們，光這樣做就可以省下一大筆費用。我們不需要買昂貴的東西，不需要買昂貴的手機或汽車，不需要買高檔的鞋子和衣服，這些在我們的人生中，並不是最重要的東西，只要省著點用，只要現在夠用，我們相信船到橋頭自然直。

其實我們的信心是來自我們的信仰，聖經上說只要信靠耶穌，上帝一定會供應我們一切的需要，我們就緊抓住上帝這個承諾。到目前爲止，我們從未缺乏過，所以我們有足夠的理由相信，上帝會繼續供應我們的需要。

也許是收養的時候了

讀到這裡，也許你已經看出收養是多棒的一件事。眞的，收養眞的很好，只要對收養抱著健全的態度，就可以增加家中的成員，我們家已經增加了四次，我們很高興自己做了這些決定。每次家中增加新的成員，家中的愛就會增加，我們的喜樂也會增加，當然要洗的衣服也會增加，可是這樣做實在太値得了！我們再怎麼鼓吹收養都不爲過。

也許現在正有一個孩子在等待一個爸爸和一個媽媽，也許你正在等待一個孩子。也許你已經等很久了，也許現在該是你考慮收養的時候了！

收養人的年齡限制

民法規定收養人的年齡，應長於被收養人二十歲以上，但夫妻共同收養時，夫妻之一方長於被收養人二十歲以上，而他方僅長於被收養人十六歲以上，也可以收養。

民法沒有限制收養人的年齡最高可到幾歲，但台灣的收養機構目前對收養人的年齡大多有五十歲以下的限制。

收養的管道

在台灣收養有兩種管道，一是**私下收養**，二是**透過機構收養**。私下收養是自己找到出養人，然後雙方到法院辦理出養和收養。透過機構收養是由收養機構幫助收養人找到合適的出養人。

不管是透過哪一種收養管道，都必須到法院聲請，透過法院正式的裁定才可以辦理收養登記。

私下收養 vs. 機構收養

台灣每年大約有三、四千件收養案，其中不到一百件是透過機構收養，但是透過機構收養還是最好的做法，因爲私下收養的風險較大。

私下收養通常會涉及大筆金錢交易，有買賣嬰兒之嫌。私下收養也無法保障收出養人的隱私，因爲雙方都可以從法院的裁定書中，得知對方的地址，有些收出養人日後會趁這個機會，用各種理由向對方索取金錢，因爲這個緣故，私下收養往往會造成心理上的困擾，未來的狀況也比較難預期。另外私下收養大多秘密進行，有些事比較難掌握，像是孩子的家庭背景、健康狀況、身世告知、在新家庭中的適應情形等等。

透過機構收養的優點：

一、有更完善的規劃，比如收養家庭必須經過審核，機構也會提供親職課程、出養孩子的健康狀況，並且保障孩子將來尋根的權利等等。

二、可以保障收出養人的隱私，雙方不知道對方的地址，不會直接和對方接觸，都是由機構當中間人，透過機構互動。

三、有社工人員可以提供協助和輔導，對收出養雙方都是比較好的保障。

四、可以確定不會有買賣孩子的情況發生，所付的都是合理的費用。

五、更重要的是，收出養機構最大的考量是出養孩子的利益，但私下收養很少會爲孩子最大的利益著想。

國內收出養服務單位：

台北市　兒童福利聯盟文教基金會收養出養服務資訊網
(02)2550-5959
http://www.adopt.org.tw

台北市　忠義社會福利基金會　(02)2993-1700
http://www.cybaby.org.tw

台北市　勵馨社會福利事業基金會　(02)2369-0885

台北縣　天主教福利會　(02)2662-5184
http://www.cs.org.tw

台南市　天主教善牧基金會露晞中心　(06)234-4009
http://www.goodshepherd.org.tw

宜蘭縣　神愛兒童之家（限基督徒夫婦）　(03)951-4652
http://www.thehomeofgodslove.org

桃園縣　內政部北區兒童之家　(03)352-5634

http://www.nch.gov.tw

台中市　內政部中區兒童之家　(04)2222-2294

http://www.ckids.gov.tw

台中縣　台灣省婦幼協會　(04)2528-5556

http://www.twaca.org.tw

高雄市　內政部南區兒童之家　(07)582-4645

http://www.sch.gov.tw

國外收出養服務單位：

台北縣　天主教福利會（在台外籍人士可申請）(02)2662-5184

http://www.cs.org.tw

台北市　忠義社會福利基金會　(02)2993-1700

http://www.cybaby.org.tw

宜蘭縣　神愛兒童之家（限基督徒夫婦）　(03)951-4652

http://www.thehomeofgodslove.org

台南市　天主教善牧基金會露晞中心（在台永久定居的外籍人士可申請）

(06)234-4009　http://www.goodshepherd.org.tw

台北市　基督徒救世會社會福利事業基金會　(02)2729-0265

http://www.csstpe.org.tw/client/

向機構申請收養需準備的文件

基本上每個收養機構都會要求收養人提供下列一到六項的文件。

一、全戶戶籍謄本正本。

二、夫妻身分證影本。

三、夫妻健康檢查報告：醫院有專門針對收養父母做的健康檢查。

四、收入證明：在職證明、收入證明、財產證明、所得證明、納稅證明或扣繳憑單等。

五、警察刑事紀錄證明（又稱「良民證」）：在警察局外事科申請。

六、最高學歷證明。

七、收養計畫書：大致內容如下

1.夫妻雙方的個人成長背景（如家庭背景、成長過程等）。

2.婚姻狀況（如夫妻相處、問題解決、面對不孕的態度等）。

3.居家環境介紹（如個人工作、經濟狀況、居家環境等）。

4.收養準備（預備收養的決定過程、周遭親友的態度、對收養的期待、撫育計畫等）。

5.對收養過程的擔心或疑慮等。

八、居家個人生活照片：從照片中可看見居家的環境和家人的互動。

收養費用

收出養機構的支出十分龐大，包括行政人員費、保母費、尿布費、奶粉費和孩子的醫療費等等，所以除了政府的補助和民間的捐獻外，可能還需要向收養人收取適度的費用，才能維持正常的運作。

有些機構的收費分爲行政費和保母費，行政費是一筆固定的金額，比如三萬元，保母費則以孩子的年齡來計算，比如每一個月收取兩萬元，那麼三個月大的孩子，保母費就是六萬元，以此類推。

有些機構的收費不分類，直接算一筆費用，比如五萬元或十五萬元。我們自己覺得機構收取費用是合理的，機構的運作確實需要經費，能夠藉此機會幫助機構也是一項善舉。

收養流程

我們一共接洽過五個收養機構，後來從三個不同的收養機構，先後收養了四個嬰兒。每個收養機構的流程不盡相同，但是大同小異，以下的流程僅供參考。

一、參加說明會：基本上收養機構和收養人第一次的接觸是說明會，請有意收養的夫婦到機構參加說明會，介紹收養是什麼，收養人需具備的條件，收養流程等等。

二、上課：有些機構安排在週間上一整天的課即可，有些機構則安排連續幾週，在週末上半天或一天的課，內容大多是進一步介紹收養相關事宜和親職課程。
三、備齊所需文件，向收養機構送件申請收養。
四、等候收養機構審核是否符合收養資格。
五、收養機構安排家訪（到收養人家中面談）。
六、家訪通過，成為儲備收養家庭。
七、媒親：根據收養人提出的條件（比如孩子的性別、年齡、健康狀況和原生家庭的背景等），由機構安排合適的孩子。
八、收養家庭到收養機構和孩子見面。
九、訂定收養契約和試養契約，把孩子帶回家試養三到六個月。
十、試養期間機構會安排社工訪視，來評估試養情形。
十一、通過機構的試養後，機構會協助收養人向法院申請收養認可。
十二、法院會再請社會局安排社工來做家訪，提供家訪報告。

十三、等候法院通知出庭。
十四、收出養雙方出庭。
十五、等候法院裁定。
十六、收到法院裁定書，等候確定書（至少十個工作天）。
十七、收到確定書。
十八、攜帶必需文件到戶政事務所辦理收養登記、戶籍遷入、改名、改姓，完成整個收養程序。之後再將健保遷入收養人的戶籍，並到去過的醫療院所更改病歷上的姓名。
十九、結案追蹤：定期提供照片和孩童近況報告給收養機構，配合機構訪視追蹤，參加相關團體及活動等。

【致謝】

感謝林奐均，謝謝你將丹瑪醫師的育兒法介紹給我們夫婦，讓我們可以充分享受育兒的樂趣。感謝教會中的黃心珠姊妹，謝謝你仔細爲我看稿，給我許多寶貴的建議和指正。感謝教會中的黃正瑾姊妹，謝謝你在我寫書的過程中，不斷地鼓勵我、肯定我、爲我加油。

感謝我的四個孩子，謝謝你們提供了最佳的題材讓我可以寫出這本書。

感謝我的先生Aaron，沒有你的參與，這本書不可能這麼快就順利付梓。你不但從一開始就鼓勵我寫，還親自撰寫許多章節，尤其是收養的部分。在我完稿之後，你爲我從頭到尾校對了三遍，把零亂的內容整理得簡潔有力、段落分明，並且一一檢查每個段落是否切題，充分發揮你修改論文的精湛功夫。我們合寫這本書，你卻樂意讓我獨攬功勞，我要將最深的感謝獻給你。

最後要感謝上帝，我人生中一切的福氣，都是你所賞賜。

國家圖書館出版品預行編目資料

這樣做，寶寶超好帶：《百歲醫師教我的育兒寶典》實踐篇 / 許惠珺作.
-- 初版 -- 臺北市：如何, 2010.07
192 面；14.8×20.8公分 --（Happy family ; 24）

ISBN 978-986-136-257-1（平裝）

1. 育兒
428　　99009116

The Eurasian Publishing Group
圓神出版事業機構
用心與你對話．視野無限寬廣
如何出版社
Solutions Publishing

http://www.booklife.com.tw　　inquiries@mail.eurasian.com.tw

Happy Family 024

這樣做，寶寶超好帶——《百歲醫師教我的育兒寶典》實踐篇

作　　者 / 許惠珺
發 行 人 / 簡志忠
出 版 者 / 如何出版社有限公司
地　　址 / 台北市南京東路四段50號6樓之1
電　　話 /（02）2579-6600．2579-8800．2570-3939
傳　　真 /（02）2579-0338．2577-3220．2570-3636
郵撥帳號 / 19423086　如何出版社有限公司
總 編 輯 / 陳秋月
主　　編 / 林振宏
專案企畫 / 吳靜怡
責任編輯 / 尉遲佩文
美術編輯 / 金益健
行銷企畫 / 吳幸芳．涂姿宇
印務統籌 / 林永潔
監　　印 / 高榮祥
校　　對 / 許惠珺．吳靜怡．尉遲佩文
排　　版 / 莊寶鈴
經 銷 商 / 叩應有限公司
法律顧問 / 圓神出版事業機構法律顧問　蕭雄淋律師
印　　刷 / 祥峯印刷廠
2010年7月　初版
2013年 9 月　32刷

定價 260 元　　ISBN 978-986-136-257-1